Ⓢ新潮新書

大嶋 仁
OSHIMA Hitoshi

1日10分の哲学

1031

新潮社

まえがき

現代はＡＩすなわち人工知能の時代である。ＡＩは人類に多大な利益をもたらすにちがいないが、人類文明を破壊する危険性を持つ。うまく使いこなせればそれでいいではないか、というのは甘すぎる。その根本原理を知らねばならない。

そうなると、必要になるのは哲学である。物事の根本の原理を追求する哲学である。ところが、多くの人は「てつがく」の「て」の字も知らない。本書を書こうと思い立ったゆえんである。

本書には私たちが知っておくべき、あるいは考えるべき哲学問題をいくつも掲げた。読みやすくするために、断章を並べるスタイルをとっている。読者はどこから読んでもよい。

ところで、本書で哲学という場合、従来の哲学より広い。生物学や地質学も含めた科学も、また詩歌や演劇も、哲学的な問題を提起していることが多々あるからだ。

また、本書にはいろいろな哲学者や思想家が登場するが、彼らの言葉をそのまま引用することは避けた。およそこういうことを言っているという程度にし、そこに私流の解釈を加えている。専門家を自負する方々は「勝手なことを言ってやがる」と目くじらを立てるかも知れないが、本書は一般読者にわかりやすいこと、興味を持ってもらえることを最優先する。読者ひとりひとりに、一日に少しでも考えることをしてもらいたいからである。

引用を並べ、それについての解釈を施しながら論を展開するスタイルは学問世界では当たり前かも知れないが、自由にものごとを考えたい一般読者には役立たない。各節の末尾に、内容に関連する文献一覧を添えるだけにとどめた。

本書の筆者はいわゆる哲学の専門家ではない。だが、そもそも哲学の専門家などというものが存在するのだろうか。物理学の専門家はいても、哲学に専門はないはずだ。

1日10分の哲学

目次

第1章 デカルトから大阪人まで
日常生活の哲学

哲学というと難しいと思う人もいるにちがいない。しかし、生きることの根本を問うことは人間には必要なことで、そのような問いは五歳児でも発している。つまり、哲学は人間の本性にあるのだ。それは日常生活を離れた空理空論ではない。

本章ではそうした実理実論のなかから、日常に即したものを紹介する。これを読んで、少しでも毎日の生活を豊かにしていただければと願う。

間違ってもいい、決断したら迷うな

誰しも一定の年齢に達すると、自分の生き方、自分の考え方の基礎を固めたくなる。そんなことはない、自分は何も考えずにただガムシャラに生きている。そう思う人もい

るだろうが、その「何も考えずにただガムシャラに」がすでにその人の哲学だといえなくはない。

ただし、口でそう言っていても、そういう生き方をしていないのなら、それは哲学でも何でもない。ただのホラである。

ここでいう哲学を生きざまと言い換えてもよい。「私はこう生きています」という生きざまの表明である。

もちろん、そういうものが自分にはないという人もいよう。そういう人は成功しても自信がつかないし、失敗すればなかなか立ち直れない。

一七世紀のヨーロッパにデカルトという人がいた。この人は近代哲学の創始者と呼ばれ、学問としての哲学を前進させた人である。今日ではいろいろ批判され、それらの批判はたいてい妥当と思われるのだが、なかなか面白い生き方をした人で、彼なりの生きざまがあったことは確かだ。

彼は学問のことばかり考えていたわけではない。軍隊に入った経験もあるし、いろいろな職人と話し合う機会もつくり、広く世の中から学んだ人である。あるときは一人の女性のために恋敵(こいがたき)と決闘もしている。彼には彼なりの生きざまがあったのだ。

では、デカルトの生きざまはどういうものだったか。彼自身の言葉でいえば、「決断したら迷うな」である。哲学者といわれる人で、決闘までしたというのは彼ぐらいではないだろうか。宮本武蔵とほぼ同時代の人だ。

デカルトはいう、「森の中で道に迷ったらどうするか。一刻も早く森から出なくてはならないが、道がいくつかあって、どの道を選んでよいかわからない。そういうとき、自分ならこれと一つ決めて、その道をただひたすら歩む。正解かどうか、どうせわからないのだから、迷わないほうがいいに決まっている」と。これが彼の生きざま、すなわち哲学である。

名前を覚えていないが、だいぶ前にアメリカの大リーグで首位打者になった人がいる。その人がこう言っていたのをビデオで見たことがある。

「バッターボックスに入ったらピッチャーの顔を見て、そうか、カーブで来るんだなと予測したら、もう迷ってはダメだ。カーブが来なかったら空振りするだけのことさ。そのあと、次の球はまたカーブか、それとも直球か。ピッチャーの顔を見て決めて、また思い切り振る。そうすれば、三回に一回はバットの芯に当たるよ。これで三割が確保される」

本当にカーブが来るかどうかはわからないが、カーブと決めたらそれを待って迷わない、それが三割打者になる道だというわけだ。

相手側のバッテリーも、そういう打者の裏をかこうとする。ところが、この大打者に言わせれば、「そんなことは関係ない。一球ごとにピッチャーの顔を見て、次は直球と思えば、今度は直球を待つ。それが外れたら残念でしたというだけのこと。統計に頼るより、一度決めたら迷わないほうが実戦では役に立つ」というのである。一理も、二理もあるのではないだろうか。

彼のバッターとしての信念は「ストライクは必ず振る」だったそうだ。すると、三回に一回はバットの芯に当たるというのだ。三回振って三回芯に当たることは所詮不可能だと心に決めて、振って、振って、振りまくればいつか必ず当たるというのだ。

逆にいえば、見逃しはいかんということだ。見逃しては、当たることがないからだ。当たるには運もいるが、振らなければその運も来ない。

ここまで書いてきて、一万円札の福沢諭吉を思い出した。幕末・明治に活躍した、あの日本近代化の先覚者・福沢である。彼の哲学は「まゝよ浮世は三分五厘(さんぷん)。間違えたらばひとりの不調法」である。「世の中ってたいしたもんじゃない。三分五厘の値打ちなんだ。だから思い切りやるさ。失敗したって俺一人が困るだけじゃないか」という意味である。何ともすがすがしい言葉だ。

好打者であっても三割がやっと。ならば空振りしてもかまわん。福沢はこの哲学で幕末・明治の波乱に満ちた時代を生き抜いた。二〇二三年のWBCでデッドボールを食らっても平気な顔で塁上に立ったチェコの選手を「かっこいい」と思った人がいたと聞く。私には、福沢のあっけらかんとして迷いのない姿がかっこいい。

若いころ予備校講師をしたことがある。あるとき受験生たちに余計な（?）ことを言ってしまった。福沢の「まゝよ浮世は」を借用して、「入試に失敗したところで深刻になってはいけない」と言ったのだ。それがモニターを通じて経営陣の知るところとなり、「合格必勝」を謳わなくてはいけないのにと非難され、即刻クビになった。

受験生のためになることを言ったつもりだったので多少がっかりしたが、すぐ立ち直った。現実は合格か不合格のどちらか。その現実を否定して努力しても何にもならない、と知っていたからだ。

（参考文献）
ルネ・デカルト『方法序説』谷川多佳子訳、岩波文庫、一九九七年
福澤諭吉『福澤諭吉書簡集　第一巻』慶應義塾編、岩波書店、二〇〇一年

鵜呑みにするな、フィードバックが大事

学生の頃、ある本を読んでいたらこんな言葉と出会った。「はいと答えるだけではダメ、いいえも言えないと」

何事にもウラとオモテがある。オモテだけ聞いて「はい」と答えるなら、「素直ですね」と言われはしても「賢いですね」とは言われない。つまり、素直であるとは愚かであることとの裏返しだ。

聖書に「蛇のように賢く、鳩のように素直であれ」という言葉があったように思う。素直であるだけではダメで、賢さが必要なのだ。その賢さを蛇にたとえるのは、そこにずる賢さも含んでいるからだろう。人間、素直でありさえすればよいというわけではない。

先日、かかりつけの医師に処方箋を出された。これを飲めば血糖値が上がらないといわれた。薬は気休めにすぎないと聞いたことがあるが、処方箋を出されると飲まないわけにはいかない。

行きつけの薬局に行ってみると、スタッフが変わっていた。新しい顔ぶれがふたり。そのうちの一人が薬の説明をしてくれた。二〇代後半と見える女性である。

彼女の説明をひととおり聞いたあと、疑問に思っていることを尋ねた。すると少し考えてこう言った。「一般にはこう言われているんですが」と切り出して、「個人的には」と自身の見解を述べる。「この人、おしゃべりは上手だけど優等生的だな」と思いつつも、その明快さに感動させられた。

帰りぎわに聞いてみた。「薬剤師の心得として大事なのは何ですか？」すると彼女、少し考えてからこう言った。「何ごとも鵜(う)呑みにしないことです。書かれていること、言われたこと、それを一度自分の頭でフィードバックさせなくてはなりません」

これにはたまげた。言うことなしである。近ごろの若者は覇気がなくなったとか、やる気がないとか言われることが多いが、こういう人もいるのだ。

周知のように、「鵜呑み」とは鵜という鳥が魚を丸呑みすることをいう。その鵜のように、言われたことを咀嚼しないで呑み込んでしまうことを「鵜呑みにする」という。「鵜呑みにするな」とは、言われたことを自分の頭で考えて理解してから行動しろということだ。あの若き薬剤師は、まさにそのことを言ったのである。

一般に薬剤師の仕事は医師の処方箋を見て、その通りに薬を選んで患者に出すことだと思われている。しかし、薬剤師のほんとうの相手は医師ではなく、薬を必要とする患者なのである。薬は健康のためのもの、病を治癒するためのもの。命に関わる。

医師の薬剤についての知識は薬剤師ほどのものではない。薬剤師の方が薬の効き目や副作用などをよく知っているはずだ。そういうわけだから、薬剤師は医師の処方箋を鵜呑みにしてはならない。一度自分の頭で整理し、医師の指定する薬剤が患者にどのような効果と副作用を及ぼし得るのかを考えるプロセスが必要だ。行きつけの薬局の彼女は、それを「フィードバック」と呼んでいる。

「フィードバック」とは日本語でいう「反芻（はんすう）」である。反芻とは牛などが一度食べたものを口に戻してもう一度食べ、そうすることで消化することを意味する。つまり、先の「鵜呑み」の逆である。

フィードバックという言葉は前々からあったようだが、これをシステム工学のコンセプトにしたのはサイバネティックスで知られるウィーナーである。サイバネティックスとは生物にも機械にも応用できるシステムのことで、それによれば、システムは外部から受けとった情報にそのまま応じて作動するのではなく、情報をフィードバックすることによって自身の作動を調整するのだそうだ。

あるいは、まず作動してみてその結果を得て、それを次回の作動に活かすという仕方もある。なるほど、これがなければ機械はまともにはたらかないし、生物は環境に適応して生き延びることはできない。

ウィーナーの功績はこのシステムの考え方を数学的に根拠づけたことにある。これによって物理学と生物学のあいだの距離が縮まっただけでなく、やがて人間社会にもこれが応用され、情報科学やシステム工学さらにはロボット工学の発展に影響を及ぼしたのである。

フィードバックで思い出したのが哲学者の松田純である。ヘーゲル哲学の専門家であるが、ある時から生命科学とか医療の倫理にも目を向けるようになった。学問を世の中に役立てたかったのだろう。この見事な展開を、私は心から賞賛している。

その彼が最近送ってくれた本に『薬学と倫理』がある。彼が監修・執筆したもので、薬剤師はどうあるべきかが説かれてある。その最後に、ガイドラインや規則にただ従うのは「マニュアル的」であって、「倫理的」でないとある。私が考えていたことをぴたりと言い当てていると思った。

以上は薬剤師だけでなく、誰にでも当てはまることだ。現代人に必要な哲学はフィードバックなのである。

（参考文献）
ノーバート・ウィーナー『サイバネティックス　動物と機械における制御と通信』池原止戈夫ほか訳、岩波文庫、二〇一一年
松田純・平井みどり・中田亜希子編著『薬学と倫理』南山堂、二〇二二年

君は歌を詠めるか？

先日、知り合いのピアニストの女性がこんなことを言っていた。「カラオケは悪いものではない。声を出して歌うのは健康にいいし、それに鬱屈した気持ちを発散できるん

です」

しかし、カラオケで歌って楽しむのは歌う本人で、他人の歌うのを聴いて楽しいと思う人は少ない。プロの歌手が舞台で歌うのを直接聴いてこそ、歌を聴く楽しみがあるというものだ。

動物言語学者の岡ノ谷一夫は歌の根源を鳥のさえずりと考えているだけでなく、人類の言語の起源が鳥のさえずりにあるという説を立てている。鳥のさえずりは親から子へと伝授されるもので、それぞれの鳥は独自の歌を持っており、しかもそのさえずりには一定のメロディーと規則性があるので、同類の鳥たちに伝わる言語になっているというのだ。つまり、そこには独自性と公共性が両方ともあるというわけだ。

面白いのは、鳥がさえずるのは異性を惹きつけようとするときと、我が陣地のありかを公に宣言するときの二つだということである。人間で言えば、恋歌か凱歌ということになろう。

歌というものは、私たちの感情が特別に高ぶったときに歌われるもので、歌とは感情表現の最たるものである。どなったり、わめいたりも感情表現ではあるけれど、歌に比べれば直接的にすぎて聴く人の共感を得られない。歌はそうした怒声よりワンランク上のもので、その高次の感情表現が言語の根源だとするなら、言語とはもともと感情表現の進化したものといえるのである。

歌が言語の起源だという説は一八世紀ヨーロッパのルソーのものである。「人間は話すかわりにまず歌っていた」と彼は言っている。もっとも、これが本当かどうかはあやしい。というのも、先述の岡ノ谷によれば、鳥にしてもさえずるばかりでなく、「地鳴き」といってメロディーにとぼしい鳴き方もし、それによって情報伝達をしているからである。

すなわち、「今夜はここで休もう」とか、「この辺は危険だぞ」という情報を共有するときには地鳴きをする。さえずるのは特別なときだけで、恋情の表明か、己の場所の確保を喜ぶときに限られているのだ。ルソーの発想は面白いし、はっとさせられもするのだが、十分な根拠があったかどうか。

とはいえ、歌うという行為が私たちにとって格別なものであることは確かだろう。歌を歌わない民族などどこにもいないし、式典や祭典に歌はつき物である。アイヌの口承文学では歌が長編物語になっており、平家物語の語りにもメロディーとリズムがある。歌は物語文学の真髄であり、それがオペラとかミュージカルを生み出しているのである。

ルソーとほぼ同時代の日本人・本居宣長（もとおりのりなが）は、「歌を詠めない人は人ではない」とまで言っている。人が人となるには歌をつくれなくてはならず、それは習得しなくてはできないことだと言っているのである。

彼はまた、習得するのは己の感情の表現の仕方であって、歌の内容も自分で作らなくてはならないと言っている。つまり、彼のいう歌は即興表現のことであり、すでに存在する歌を声に出して歌うこととはちがうのである。だから、カラオケで歌うのとでは質的に異なる。

では、宣長はどうして「歌を詠めなくては人になれない」と言ったのか。これについては現代の神経科学者ダマシオの説が参考になる。ダマシオによれば、生物は外界の刺激に反射的に反応する。たとえば、危険が近づくと足がすくみ全身が緊張する。この緊張が恐怖を引き起こすのだ。

一般の動物の場合はそこで終わるが、人間のように脳が発達した動物はこの恐怖を意識して、それを感情にアップグレードさせる。そこに人間らしさが生まれるというわけだ。

では、身体的な反応を意識することによってそれを感情に変換することで、人間は何を得られるのか。ダマシオによれば、そうすることで人間は感情を持ち、それを言語あるいは別の手段で表現できるようになり、それで社会生活を営めるようになる。そして、そこで初めて理性が開花するというのである。

これを宣長風に言えば、歌を詠むことで人は社会生活を営めるようになり、理知にも目覚めるということになる。したがって、彼の言うとおり、「歌を詠めなくては人になれない」のだ。

宣長は「歌を詠む」のは恋をしているときが一番だとも言っている。なぜなら人は恋するとき、感情が多岐にわたって複雑になり、どうしてもそれを表現したくなるからである。彼の考えをまとめれば、人は恋をしなくては歌を詠むことができず、そうならねば感情を発達させ、理知に目覚めることもないということになる。恋は理知の源なのだ。

以上のことを念頭に置いて、読者諸氏に問いたい。あなたは歌を詠めますか？　すなわち、自分の言葉で感情の高ぶりを表現できますか？　いや、そもそも恋をすることができますか？

〈参考文献〉

岡ノ谷一夫『さえずり言語起源論　新版　小鳥の歌からヒトの言葉へ』岩波科学ライブラリー、二〇一六年
ジャン＝ジャック・ルソー『言語起源論　旋律と音楽的模倣について』増田真訳、岩波文庫、二〇一六年
本居宣長『排蘆小船・石上私淑言　宣長「物のあはれ」歌論』子安宣邦校注、岩波文庫、二〇〇三年
アントニオ・R・ダマシオ『デカルトの誤り　情動、理性、人間の脳』田中三彦訳、ちくま学芸文庫、二〇一〇年

愛よりは礼

西洋の文化と東洋、とくに東アジアの文化のちがいの一つは、月並みな言い方だが、前者が「愛」の文化とすれば後者が「礼」の文化であるというちがいであろう。現代世界は西洋文化が優勢なので、「愛」が強調され「礼」は忘れられがちだが、「礼」は思いのほかに重要なのである。

というのも、愛には一体化がつきものである。「私はあなたを愛している」（アイ・ラ

ブ・ユー）は、欧米では恋人どうしだけでなく、親子の間でも用いられる。これは「私とあなた」は一体である、一緒であるという含みを持つ。一方の礼は相手との距離をおき、相手への尊敬を核とする。つまり、前者は人間どうしの距離を縮めようとするが、後者はその距離を保とうとするのである。

日本でも西洋化が進むにつれて「愛」が「礼」を上回る気配を見せている。しかし、それは表面にすぎず、実質は異なるかもしれない。というのも、数年前に香港に行ったとき、あるオーストラリア人のビジネスマンと話す機会があり、その人がこう言ったからだ。

「私は日本人とビジネスをするんだが、とにかくやり易い。きちんと決めたことを実行してくれるからね。もう一〇年以上付き合いのある福岡の会社なんか、ほんとうに私によくしてくれる。日本ではビジネスはビジネスではないんだな」

「ビジネスがビジネスでないとはどういうことか」とそのビジネスマンに聞くと、「ビジネスの根底には信用ってものがなくちゃならない。その信用というものが今の世界では失われつつある。だから、ビジネスは契約書で書かれたとおりにしか進行しない。ところが、日本ではまず相手を信用する。そこからビジネスが始まる。これって、相手をまず尊敬するってことなんだ。今の世界はこれを忘れている。書面しか信じない」

この人の言うとおりなら、確かに日本ではまだ「礼」が残っている。礼は尊敬にもとづき、尊敬は信用とつながる。

さて、礼は東アジアのものと言ったが、西洋にも礼を重視した人がいる。日本でもよく知られている『星の王子さま』の作者サン＝テグジュペリがそうだ。この作家は『星の王子さま』に一匹のキツネを登場させ、「星の王子」に礼の大切さを教える役を与えている。

王子が初対面のキツネに「友だちになろう」ともち掛ける。するとキツネは「まだお互い知らないから、それはできない」と断る。そして、友だちになるには「礼」というものが必要だと教えるのだ。

具体的には、初めは相手と距離をおき、少しずつ近づくことが大事だと教える。親しくなる前に距離を保ち、相手を尊敬することから始めよというのだ。王子のように、いきなり友だちになろうなどというのは相手に対する敬意を欠いている。キツネが言いたかったのはそこだ。

そのキツネが王子に言ったことで印象に残るのは、「礼は現代ではすでに忘れられてしまっている」という一言だ。ここでいう現代は近代社会と言い換えてよいかもしれない。近代化が古来の道徳の基礎にあった礼というもの、相手への尊敬というものを失わせたというのである。

なるほど、礼を重んじるはずの日本でも、「星の王子」のように無礼な子どもが増えている。先のオーストラリアのビジネスマンのいう日本人の美徳は、すでに失われつつあるのかもしれない。というのも、子どもたちの幼い心には、「一年生になったら」といった童謡が浸透している。この歌はほんとうに子どもたちのためになるのか？

この歌の悪い点は、友だちがすぐにでもできるという錯覚を起こさせることである。「一年生になったら、友だち一〇〇人できるかな」というのだから。友だちがそんなにすぐにできるはずはないし、誰かと友だちになろうとする前に、相手を尊敬することをまず知らなくてはならない。童謡「一年生になったら」には人間関係に関する甘さ、もっといえば倫理の欠如が感じられる。

「日本では学校で朝礼とかをしているのではないか」と言う人もあるだろう。しかし、朝礼で強調されているのは形式であって、中身ではない。孔子は「親をただ物質的に養うだけで、敬う心が欠けていたら孝とはいえない」と言ったが、その「敬う心」が礼から失われてしまえば、単なる「うざい」形式に過ぎなくなる。

　何事もそうだが、ある習慣が形骸化してしまうと精神に悪い影響を及ぼす。そのような習慣を生徒に強要する教師は、「あの先公（センコウ）、うぜえ」となるのだ。生徒のしつけが悪いからではなく、教師が内容の伴わない形式を押し付けるからである。

　では、どうすれば現状を改善できるのか。そこで思い出されるのが西郷隆盛の座右の銘「敬天愛人」である。尊敬は人と人の関係において重要だが、その源泉は人智を超えた「天」にあるという考え方だ。この古めかしい「天」という言葉を私たちは思い出さねばならない。天がなくては地もなく、まして私たちの存在もない。

（参考文献）
アントワーヌ・ド・サン＝テグジュペリ『オリジナル版　星の王子さま』内藤濯訳、岩波書店、二〇〇〇年
松浦光修編訳『南洲翁遺訓　西郷隆盛が遺した「敬天愛人」の教え』ＰＨＰ研究所、二〇〇八年

大阪に哲学あり

福岡の大学を出て文楽の世界に入り、義太夫語りとして活躍している人物がいる。この世界を知る人なら、「ああ、竹本小住太夫のことね。文楽界のホープです」と言うだろう。

大学を出る少し前に人間国宝の竹本住太夫に弟子入り。師匠のカバン持ちをしながら芸を磨き、いまでは文楽の世界の若手の代表格となっている。

その彼は、大学時代は欠席が目立ったという。たまに授業に出ても遅刻する。担当教員に「なんで、君、いつも遅刻するの？」と問われると、平然として「先生、主役はいつも後から出てくるんです」と答えたという。大物ははじめから大物だ。

筑豊出身の彼はともかく元気がよく、怖いもの知らずであった。学生時代も傍若無人で、酒を飲むと大声で歌い出したり、丸暗記した浄瑠璃芝居の一段を語りはじめたという。今どき浄瑠璃を知っているだけでも珍しいというのに、暗記するほどだったとは、よほど文楽が好きだったのだ。博多駅から深夜バスに乗って大阪まで行き、本場の義太夫を聴く。それを何十回もやったというのだから、非凡としか言いようがない。

一体、文楽のなにがそんなに面白いのか。「語りの妙に尽きます」と彼はいう。もともと文学好きで、三島由紀夫の世界に耽ったりもしたようだが、村上春樹がアイドルになってからは「もう文学はあかん」と諦めたという。「あのまま文学少年を続けていたら、今頃は自殺していたんじゃないですかね」と振り返っている。

「語りの妙」ということで言えば、この小住太夫の師匠・住太夫はすごかった。今やあの世の人となったこの人間国宝と、運よく楽屋で話をする機会を得たことがある。普通に話しても語りの妙が感じられ、語りが全身に滲みわたっているとはこのことだと思ったものである。

その凄さを感じたからこそ、例の筑豊青年はこの大師匠に弟子入りを懇願した。そして、三度目の面談で「お前はん、顔つきがええ」と言われ、ついに弟子になれたのだそうだ。

語りの力とは、声によって私たちを日常から別の次元へと連れていく力である。ストーリー性も大事ではあるが、それよりも情念の複雑な絡みを、ひと言ひと言のメリハリと声の抑揚で伝えるところが肝心なようだ。今や小住太夫となった筑豊青年は、「だって、僕らの周りに、語りなんかなかったじゃないですか」と慨嘆する。

なるほど彼のいう通りで、語りというものがこの現代には希薄になっている。ほとんど忘れられていると言ってもよいだろう。私たちの日常会話は無機質になっているばかりか、私話化しているのである。第三者が聞いて、面白いはずがない。社会にとって、文化にとって、これは深刻な問題である。例の筑豊青年もそういう現代に危機を感じ、急いで大阪に向かったのだと思われる。

その大阪であるが、この都市こそはまさに「語りの都」である。新大阪で新幹線を待つあいだ、駅ビルの一階の小さなカフェに入った時のことだ。今も忘れないが、ひとりの初老の男性が、それとほぼ同年代の女性と話しているのを小耳に挟んだ。

普段なら、そんなところで耳に入る話、すぐ聞き飽きてしまうのだが、その日はちがった。話が面白くて聴き入ってしまったのだ。

なんでも、その女性の夫は最近定年退職したばかり。ところが退職した途端、もらったばかりの退職金をつぎ込んでフェラーリを買ってしまった。「え？　ホンマ？」と相手の男性が驚くと、「ホンマやて。頭がクラクラしてもうた」と答える。「そりゃアカン。あんたもその歳でそんなに苦労するんか」

「そやけど、女に金つぎ込まれるよりはマシだったかもわからん」とその女性。自分を慰めようと懸命だ。すると相手の男性、「アホなこと言うたらあかん。フェラーリなんか、さっさと売り飛ばしてもろうて、その金で宝石の一つでも買うてもらわな」

すると、その女性、「宝石なんか、興味ない。それより、こうして誰かさんとコーヒーでも飲んでる方が、よほどええんとちがう？」

これが六〇を越した男女の会話である。最後まで聞きたかったが、新幹線のホームに向かわねばならず、残念ながら席を立った。

新幹線車中、関西人の語りの能力に思いをめぐらせた。自分の悩みでさえも物語として語れる。なんという話術、なんという健全さだろう。

大阪の芸として知られる漫才も同じ原理と技能から成り立っているのかも知れない。関東の人間にも、九州の人間にも、東北の人間にも、この真似はできない。漫才は練れた文化の証であって、人は一人ではいられない、話をし、言い合いをしてこそ人になれるという哲学の表れだ。

アメリカにニーメヤーという心理学者がいる。その彼がこう言っている。「デカルトは我思うゆえに我ありと言うたそうやけど、ワテならこう言います。我々は話し合う、ゆえに私は考え始めるとね」大阪人はこの哲学を実践しているのである。

〈参考文献〉

ＮＨＫ大阪弁プロジェクト編『大阪弁の世界』経営書院、一九九五年
ロバート・Ａ・ニーメヤー『〈大切なもの〉を失ったあなたに　喪失をのりこえるガイド』鈴木剛子訳、春秋社、二〇〇六年

第2章 聖徳太子からカズオ・イシグロまで 日本の哲学

日本人の考え方に大きな影響を与えているのは仏教を含めた中国哲学。仏教はインド産でも、日本に入ったのは中国化されたものである。また、日本人の人間関係に影響を与えてきた儒教、日本人の自然観に影響を与えてきた道教、いずれもが中国から来ている。そういうわけで、この章では日本の哲学を扱いながら、間接的に中国哲学を扱うことになる。そもそも、いまでも日本人は中国伝来の漢字を用いている。日本と中国の関係は、韓国・北朝鮮との関係と同じく、切っても切れない。

日本に哲学なし？

明治の先覚者に中江兆民がいる。福沢諭吉が科学時代の先陣を切ったのに対し、兆民のほうは政府にとって厄介な「民権」を掲げたから分が悪かった。当時の政府は天皇制国家の建設に必死だったので、「民権」など後回しにした。

その兆民は「日本に哲学なし」と言ったことでも知られる。彼のいう「哲学」とは、既存の思想や宗教や制度について疑問をもつことであった。日本には疑問をいだく伝統がないと痛感したのだ。

兆民は「人権」発祥の地フランスに留学した。大学にではなく、なんと小学校に。成人した知識人が外国の小学校に留学したという例は滅多に聞かない。フランスの小学生たちにさぞ珍しがられたことだろう。

なぜ小学校だったのか。フランス国民の思想を知るには子どもたちを見るのがいい、と思ったからという。卓見というか、勇気があるというか、なんともすごい。

では、そこで何を学んだのか。日本人はフランス人の子どもほどにも物事を疑ってみないと知ったのだ。確かに、日本人は太古から現代まで物事を疑わない。なにかを信じ込むというより、すべてを当たり前として受け止めてしまう。これでは社会制度への疑問とか、神話体系への批判とか起こるはずがない。兆民のいうとおり、「日本に哲学なし」である。

しかし、国民に哲学はなくとも、哲学者がいなかったわけではない。ただし、いくらすぐれた哲学者でも、この国ではその思想が理解されて受け継がれるかわりに、神棚に祭り上げることで葬り去る習慣がある。太宰府天満宮に祀られている菅原道真は、頭がよかったので周囲からけむたがられ、筑紫国に左遷され、死んでから神様扱いとなった。聖徳太子も太子信仰といって長いあいだ神様扱いされた。一度に一〇人の訴えを聞き分けることができた彼のような天才は、得てして凡俗に嫌われる。

聖徳太子の思想が見直されたのは近代になってからだ。そのせいで、福沢諭吉の前の一万円札は彼の肖像だった。これのおかげで、彼のことを知る日本人も多かった。しかしその姿が万札から消えれば、忘れ去られるのみ。

では、どうして彼が一万円札に選ばれたのか。この人物こそは日本文明の父という認識が、当時の大蔵省にはあったのだろう。なかなかの見識だ。

聖徳太子は確かに日本を文明に導いた。それまでの部族社会をアップグレードさせたのである。そのために彼が用いたのは仏教という高度な哲学だった。

今日的な言い方をすれば、彼の最大の功績は日本に民主主義をもたらしたことだといえる。その思想は彼が書いたという一七条憲法に端的に表れている。第一〇条のおよその内容を紹介しよう。

「誰かが自分とちがうことを言っても怒ってはいけない。人それぞれ考えがあり、それに執着するものなのだ。それゆえ、自分が正しくて相手が間違っていると決めつけてしまう。ところが、自分が聖人で相手が愚かだという保証はどこにもない。もしかすると、相手が聖人で自分が愚者という可能性もある。だから、人と意見がちがっても怒ってはいけない」

　このような思想が七世紀初頭の日本で発せられたこと自体、驚異的である。そんなことをいう聖徳太子はすごいどころか、すご過ぎる。なのに、世の学者たちは、聖徳太子は本当にいたのか、彼が一七条憲法を作ったというのは嘘ではないのか、などと言う。彼らは哲学の何たるかを知らないのである。

　一七条憲法は私たちが肝に銘ずべき哲学をもつ。これに基づいて生きれば幸福な社会をつくれるという信念がある。それにしても、「自分が聖人である保証はどこにもない」とは深い。こんな言葉があるなんて、ありがたいではないか。

　同じ太子には「世間虚仮(せけんこけ)」という言葉もある。この世は仮のもの、中身があるかに見えて実は空っぽ、と言っているのである。そう言った上で、彼は「仏のみ真実」と言った。

一見すると仏教の宣伝のようにも聞こえるが、当時の日本人は仏教の何たるかを知らなかった。太子にすれば、日本人を文明人にするには仏教しかなかったのである。世間的なことに価値を置く人が大半であるというのに、それを「虚仮（こけ）」だと言い切ってしまうとは。有名人になりたい、金持ちになりたい、人より上に立ちたい。これが人間の欲望なのに、太子はそんなものは空っぽで中身がないと言い放ったのである。

ところで、禅仏教に「仏に遭ったら仏を殺せ」という言葉がある。たとえ仏であっても、これを崇拝してはいけないということだ。なんとなれば、仏も虚仮だからだ。これがわかったら、聖徳太子を崇拝してはいけません。コケにしなくてはいけません。

〈参考文献〉

中江兆民『一年有半・続一年有半』井田進也校注、岩波文庫、一九九五年
『日本書紀』井上光貞監訳、中公文庫、二〇二〇年
『臨済録』柳田聖山訳、中公文庫、二〇一九年

仏もはじめは凡夫

平安時代末期は日本人の心が大きく変わった時代である。それより六世紀前に聖徳太子が広めた仏教が、ようやく日本人の心に浸みこんだのだ。

「ほとけはつねにいませども　うつつならぬぞあはれなる　ひとの音せぬあかつきにほのかに夢に　見えたまふ」

当時流行したこの歌を現代語に訳せば、「仏さまは常にいらっしゃるが、目に見えないからこそ有難い。明け方、物音もせずひっそりしている時、ほのかに夢に現れてくださる」となる。作者は名もない遊女。時の権力者の後白河法皇が、こういう歌を集めて『梁塵秘抄（りょうじんひしょう）』という本にしたのだ。

これとほぼ同じ時代の『平家物語』にも、似たような歌が見られる。平清盛に愚弄された祇王（ぎおう）という白拍子が、清盛の面前で舞を舞いながら歌ったのである。

「仏もむかしは凡夫なり　われらも終（つい）には仏なり　いづれも仏性具（ぶっしょうぐ）せる身を　隔つるのみこそ悲しけれ」

仏だって初めは普通の人だった。私だっていつかは仏になれる。あなただっていつか仏になれるのに、そこがわかっていらっしゃらないのは本当に寂しい。そういう歌だ。時の権力者の前で、下層の人間がこのように堂々と歌えるとは、それだけでも感動的である。日本にもそういう時代があったのか。不思議にさえ思える。

祇王は確かに下層の女性だった。しかし、鈴木大拙（だいせつ）が言ったように、この時代は下層社会にも「霊性」の目覚めがあった。貴族に代わって武士が台頭するそのとき、日本全体がその内側を揺さぶられていたのだ。

下層社会の女性は、そういう歌を歌ったからとて自由になれたわけではない。しかし、当時の社会はそうした女性たちに尼寺という逃げ道を用意していた。清盛にいためつけられた祇王であっても、逃げ込む先はあったのだ。京都に祇王寺という寺があるが、彼女が逃げ込んだからその名がついている。

ところで、祇王のような女性たちにとって「仏」とは何だったのか。単なる崇拝の対象ではなかったし、自分たちのような惨めな存在を救ってくれる救世主でもなかった。言うなれば、ある種の理想、この世を超えた素晴らしいものの象徴、それが仏だったのである。

理想とは現実を映す鏡であろう。理想がなければ現実は見えてこない。しかも、理想だけが私たちに今ある現実から一歩外へ出ていくことを許す。

これは抽象的な話ではない。スポーツ選手でもそれを知っている。たとえば、野球のピッチャーならシャドウ・ピッチングをする。理想的なフォームを頭に描き、それに身体の動きを少しでも近づけようとする。別の職業においても、同じことが言えるだろう。向上心を持つとは、理想を持つことなのである。

では、平安末期の下層社会の女性たちにそのような向上心はあったのか。あった。彼女たちは自らの生を穢れたものと思い、そこから少しでも浄化されたいと願ったのだ。彼女たちが仏のイメージを胸に抱いたことは、人生の究極において仏とひとつになることを意味した。「われらも終には仏なり」とはそういうことだ。

そう考えると、私たち現代人はそうした理想を持っていないと気づく。理想となるイメージを持っていないのだ。「君の理想は?」と若い人に問えば、「え? 理想ってなあに? そんなもの、思ったこともない。そんなもの、どこにあるの?」という答えしか返って来ないのである。

確かに現代人には理想がない。生きていく上でのイメージがない。とはいえ、たとえば私のよく知るコーヒー焙煎業者は、毎日自分が理想とする煎り方を追求している。

「今日は割とうまくいった、昨日は不満足だった」などと言っているのだ。少しでも自分を向上させたいと願う人にとって、理想は案外に身近なものなのかも知れない。

だが、そういう人は例外で、仕事になんら理想を見出せない人が大半であるというのも事実である。学生にしても同様だ。どうせなにをしても行き着くところは決まっている、と諦めているのである。

では、そういう彼らはただしく現実を見ているのだろうか。もしかしたら、現実の外側あるいは一面しか見ていないのではないか。現実の見える部分のみを信じて、これが現実だと思い込んでいはしないだろうか。理想という鏡を持たない以上、そのように現実が小さく見えても仕方がないのかも知れないが、現実とは、それをどう見るかによって大きくも小さくもなるものだ。

彼らを責めることはもちろんできない。彼らの受けた教育には、理想という鏡の入り込む余地はなかったのだ。戦後日本の政府は教育の意味を考えたことがなかった。今を生きのびるために経済効果のみを追求した結果、明日の日本を考えなかったのである。

戦後の一時期は経済成長に役立つ人材を育てることで満足した。それがうまくいったのは一九七〇年代までで、それ以降の若い人々は生きる意欲をなくし、現在に至ったといわれる。そういう今であればこそ、平安末期の下層社会の女性たちの歌声を思い出すことには意味があろう。

前へ進めなくなったら、忘れ去っていた遠い過去に戻るのは一つの方法なのだ。彼女たちの置かれた境遇は現代の若者のそれより悲惨であったにちがいないが、それでも逃げ道があったし、社会はそれを用意していた。現代社会にもそうした逃げ道はないものか。「夢ではなく目標を」と誰かが言ったが、理想などと言わず目標を立てることも一つの道だ。夢などというはかない言葉より、目標という言葉は力を感じさせる。

（参考文献）
『新訂　梁塵秘抄』佐佐木信綱校訂、岩波文庫、二〇一五年
角川書店編『平家物語』角川ソフィア文庫、二〇〇一年
鈴木大拙『日本的霊性』岩波文庫、一九七二年

「愛」は日本的でない？

前章で、愛よりは礼が大事と書いたが、愛も大事である。この日本においても。市谷で割腹自殺を遂げた作家の三島由紀夫は「日本に愛はない」と言った。「愛」は英語のLoveの訳語で、日本では愛のかわりに「恋」があるのだと。

日本には「愛」という言葉がないわけではないが、この言葉が男女関係に用いられる場合は限られており、三島が言うように「恋」のほうが普通である。「恋愛」という言葉もあるが、これもどちらかといえば「恋」であって、「愛」ではない。

現代の若者なら「愛してる」を使うかも知れないが、その意味内容はやはり「恋」に近いのではないか。三島の言ったことは、一見して正しい。

しかし、彼の言ったことは男女関係については合っていても、夫婦関係となるとそうでもない。まして、親子とか兄弟とか師弟関係となると、これは「恋」ではなく「愛」であろう。「母を恋(こ)うる」などという言い方もあるけれども、「愛」という言葉を必ずしも西洋語の翻訳と決めつけることはできない。

また、その意味内容も、明治以降の日本に生まれたものではない。たとえば、鎌倉時代の仏教説話集『沙石集』をみると、オシドリのオスを殺した猟師の男が、夢に現れた女に「なぜ私の夫を殺したのか」と詰問されて、「自分は殺していない」と答えたのに、夢が覚めたときその女が実はオシドリのメスだったとわかり、あわてて床から這い出て殺したオスを入れた袋を開けてみると、中に殺したはずのないメスの死骸もあって、しかもそのオスとメスが互いのくちばしを嚙み合わせているのを発見したという話がある。男は己の罪を深く感じ、オシドリの夫婦をねんごろにとむらい、自らは出家したというのである。

ここに登場する夫婦は鳥ではあるが、とにかく二羽が愛し合っていることは確かであって、これは決して「恋」ではない。三島由紀夫はこの説話を知らなかったであろうか。知っていて、あえて無視した可能性もある。

鳥のオスとメスに夫婦愛を見るのは、近代作家の志賀直哉も同じである。「幾月かの間、見て、馴染になった夫婦の山鳩が、一羽で飛んでいるのを見ると余りいい気持がしなかった」と「山鳩」という短編で語っている。作者はもう一羽が猟銃に撃たれて死んでしまったことを知っていた。それで、「余りいい気持がしなかった」のである。

志賀には中世の狩人ほどの仏心はなかったので、山鳩の一羽が死んだことにそれほど胸を痛めてはいない。しかし、その彼は近代作家としては珍しいほど夫婦問題を多く扱っている。初期の「范の犯罪」「好人物の夫婦」もそうだし、長編『暗夜行路』も基本的に夫婦関係を扱った作品である。戦後になると、「老夫婦」「夫婦」といった作品も書いており、広い意味で「愛」を扱った作家なのだ。

日本思想史をひもとくと、「愛」というものを最も高く評価した思想家は江戸時代中期の伊藤仁斎だとわかる。仁斎は儒学者であったが、彼の面白いのは中国産の儒教を日本化したところにある。

といっても、彼としては自分こそは儒教の本質をつかんでいると確信していた。古代中国のテキストを綿密に解釈した結果、儒教の本質は「愛」だと確信したのである。

儒教についてはいろいろな解釈があり、人によってはその本質は「礼」だといい、「忠」だという人もいる。一般には「孝」という言葉が行きわたっており、これが儒教の本質だともされている。しかし、仁斎によれば、それらの儒教の徳目はすべて一つの源から発している。その源が「愛」なのである。

では、彼のいう「愛」とはなにか。曰く、「慈愛の心、渾淪通徹、内より外に及び、至らずという所なく、達せずという所無うして、一毫残忍刻薄の心なき」となる。すなわち、「愛」とは「残忍」も「刻薄」もまったくないことであり、「慈愛」であり、しかも世界中どこにでも流れ込んで止まるところを知らないものだというのである。

これを今日的に言えば「博愛」という語がぴったりするが、仁斎ならそうした語におさまりきらないのが「愛」だと言ったにちがいない。なんとなれば、言語というものは生気の流れを止め、一定の意味に限定してしまう。それでは「愛」はつかめないのだ。

そもそも仁斎はこの宇宙を大きな流れと考えていた。それは生気に満ちたもので、止まるところがない流れなのである。つまり、世界とはエネルギーであり、そのエネルギーは世界を創造しつづける。この生気の流れが感情レベルで現れたとき、それを「愛」というのである。

このような壮麗な思想が鎖国時代の日本に生まれたことを、現代の日本人はもっと知るべきだ。「愛」というものが生命エネルギーの発露であるという普遍的な思想が、京都の堀川の一隅（いちぐう）に生まれたとは驚くべきことではないだろうか。

三島由紀夫のように「愛」は西洋のものなどと決めつけてはいけない。私たちの文化遺産は、そこからおいしい水を汲み出すことのできる泉を多々たくわえている。

（参考文献）
三島由紀夫『新恋愛講座』ちくま文庫、一九九五年
無住『沙石集』筑土鈴寛校訂、岩波文庫、一九四三年
伊藤仁斎『童子問』清水茂校注、岩波文庫、一九七〇年

本物の哲学者・三浦梅園

江戸時代中期は日本思想史の頂点をなす。無論、当時の知識層の数は全人口からすればわずかで、思想史の頂点といっても、国民の大半はそれに関与していない。とはいえ、思想というものは同時代に影響を及ぼすとは限らず、のちになってその価値を発揮する場合もある。江戸中期の思想はその意味で重要だ。

江戸中期には蘭学と国学という二つの流れが生まれた。江戸時代全体は儒教の哲学たる朱子学が支配的だったが、これは幕府の政策によるもので、それとは異なる流れが生まれたのだ。

朱子学は天とか理とか一定の概念を前提として始まるが、蘭学はなにごとも実験しな

くては本当かどうかわからないという科学的精神に基づく。概念の把握が難しく、雲をつかむような理屈だらけの朱子学より、ある意味わかり易い。

儒教といえば親孝行、主君への忠誠などを教えるものではないのかと思う人もあるだろうが、この単純な思想を難しくしたのが朱子学である。朱子学によれば、宇宙は天理によって運行する。その理をつかんで政治に応用すれば、主君に理あり、それに従う臣下にも理ありとなるのである。しかも、主君も臣下もそれぞれに心があるので、この心を修養すれば天下泰平となる。心を正せば、社会もおさまり、世界は秩序を維持できるというわけだ。

朱子学が難しいのは抽象的な語彙が多いからだ。しかも、それらが日本語ではなく中国語だから、余計厄介となる。江戸時代の知識人は中国語テキストの解読に明け暮れし、多かれ少なかれこれに毒され、あるいは飽き飽きした。そういう時に、オランダ船が西洋科学の書をもたらしたのだから衝撃は大きい。挿入されている精密な図画からして、なんとなく本当のことが書かれているように見えたとして不思議はない。

そうなると、オランダ語を学んでみようという人が出てくる。アルファベットは全部で二十七文字だから、漢字より速く習得できる。文法も語彙も日本語とは全くちがうが、同じ人間の言葉だ、勉強すれば身につくにちがいないと判断され、少数ではあったがオランダ経由の科学書を読もうという人が出てきた。それが蘭学の始まりである。

蘭学がなかったら、日本は開国後すぐに西洋科学の輸入をできなかったろう。今日の日本があるのは、少なからず蘭学のおかげなのである。明治の先覚者・福沢諭吉も蘭学を学んでいる。

国学の方は、あまりにも中国に傾いていた知識界に反旗をひるがえした人たちが起こした。彼らは日本古典に帰れと呼びかけ、「古事記」や「万葉集」、「古今集」や「源氏物語」を研究し、中国文明に押しつぶされた大和の言葉と心を回復しようとしたのである。

この学問・思想運動には一理も二理もあったが、偏狭なナショナリズムに陥る危険もあった。というのも、彼らのように儒教も仏教も排してしまったら、日本人に残るものはわずかなのである。

日本の土着文化がいかに素晴らしいものであったとしても、日本文化が大陸からの文明と土着の文化のハイブリッドであることを否定してはいけないだろう。国学者には、真の日本文化とは何かという点での見誤りがあったと思われる。

国学と蘭学が勢いを持ち始めたころ、九州は国東（今の大分県国東市）に三浦梅園という男が現れた。この梅園は中国古代の陰陽の哲学に興味を持ち、同時に蘭学の方法にも関心を抱き、それらの知識を総合して自分なりの宇宙論を展開した。まともな宇宙論がそれまでなかった日本において、彼こそは最初の正銘の哲学者だったといえる。

宇宙論が哲学なのかといぶかる人もあるだろうが、もともと哲学は宇宙論である。古代ギリシャの初期の哲学者たちは、いずれもが宇宙の原理を説いている。梅園の場合、その宇宙論が西洋の宇宙論とは異なり、また中国の宇宙論とも異なり、「宇宙の構造はこれこれです」と言うかわりに、「宇宙はこう見ればこうなります」と言ったところが独創的なのである。

彼の究極の命題は「反観合一」。「対立させて観ると複雑に、合せて見ると単一になるこの世界」という意味で、これが彼の哲学の骨子である。

何を当たり前のことを言っているのだと言われるかも知れないが、哲学者とは、当たり前のことにたどり着くにもさまざまな可能性を考え、それらを吟味して、ようやくそこに到達する人たちなのである。梅園の場合もそういう手続きを踏んだ。それは彼の書いたものからわかる。

世界は多様性に満ちている。そこには対立もあれば、矛盾もある。しかし、これはそう見えるように私たちが見ているからである。一方、多様性の向こうに共通性を見つけ、その共通性のほうに注目すれば、こんどは世界は一つになって見えてくる。「世界は多様である」とか、「いや、統一されているのだ」とか、言い張って喧嘩をする必要はなくなるのである。

三浦梅園から学ぶものがあるとすれば、私たちの視点に応じて世界は変わるということではないだろうか。江戸中期のこの哲学者に、今からでも感謝しよう。

（参考文献）
源了圓（みなもとりょうえん）『徳川思想小史』中公文庫、二〇二一年
三枝博音（さいぐさひろと）『梅園哲学入門』NextPublishing Authors Press、二〇一八年

丹波の梅岩・なにわの仲基

丹波は京都の奥座敷と呼ばれる。その丹波に生まれたのが、現在にまでその影響力を

及ぼすといわれる商人思想家・石田梅岩(ばいがん)である。幼少の頃に京都の商家に出され、でっち奉公をさせられた後、いったん故郷に戻り、今度は大きな商家に勤めつづけて独自の思想を培った。

ろくに学問をしていなかったはずなのに、いつの間にか儒教の書を読み、それについて考え、自らに合った思想を組み立てた。一体、どういう勉強法だったのだろう。

梅岩の思想は「心学」と呼ばれるが、要は「与えられた条件の中で最善を尽くせ」というものだ。文句をいうより、感謝の気持ちを持て。仕事は天から授かったもの、おろそかにするな。そういう職業倫理思想の大元が、この梅岩なのである。

江戸時代といえば士農工商。武士が一番上で、商人が一番下という上下秩序である。梅岩はその一番下の商人であったから、学識など誇ることはできなかった。それでも彼は、卑屈になるどころか、堂々と商人哲学を説いたのだ。どんな風貌だったたか、会ってみたくなる。

彼の哲学を一言で言えば、「商いは人と人の結びつき」というものである。「人あっての自分」という考えを徹底させれば、おのずと商いは成り立つというわけだ。

「人あっての自分」とは、今日の哲学でいう「他者優先」である。個人主義を掲げて

「我は、我は」といきり立つのでは倫理は成り立たないということだ。一八世紀の梅岩はその先駆け的存在。彼から学べることは今でもたくさんある。

突飛なようだが、梅岩の哲学はドナルド・トランプを思い出させる。今や悪評高きアメリカの元大統領、彼の基本は梅岩と同じく商売である。

その精神は「相手との交渉」に尽きる。中国の習近平はトランプが大統領になった時、これを歓迎してこう言ったという。「商いの道は平和に通じる」と。この発言は当を得ていたように思われる。

もっとも、実際のトランプはそれほど相手を尊重したわけではない。梅岩がこれを見たら、「そんなに一方的に相手に条件を突きつけてはあかん」と戒めたのではなかろうか。あるいは、「あんさんには向こうさんの出方を読む力がちいと欠けとります」と言ったかも知れない。アメリカ式ビジネスのやり方で世界に通用するとは限らない、と釘を刺したろう。

梅岩は丹波の人なのに、なぜか大阪商人の鑑(かがみ)のように思えてしまう。大阪に行っていつも感じるのは、話術の巧みさの向こうに見える温かさである。梅岩にもその温かさが感じられる。いつしか、彼を大阪人と思うようになってしまった。

大阪のことを昔は「なにわ」と言った。そのなにわのど真ん中で醤油屋の息子として育ったのが、江戸時代随一の天才・富永仲基（とみながなかもと）である。三一歳で他界したこの大商人の息子は、仏教も儒教も神道までも文献を徹底的に精査し、その本質を見極めてしまったのだからすごい。

仲基がいうには、仏教は釈迦の説法に始まって、その後弟子たちや孫弟子たちがさまざまに考えたことを付け足したため、全体としてまとまらない思想となってしまった。儒教もまた然り。神道は大昔の原始宗教だが、これには文献も何もないから、その当初の姿が今に残っている保証はどこにもない。というわけで、どの宗教も当てにならないというのである。

もちろん、人は宗教なしでやっていけないことは彼も知っていた。それぞれが自分の解釈で仏教はこうだ、儒教はこうだ、神道はこうだと言い張り、それに固執する。これを仲基は愚の極みと見た。

では、どうすればいいのか。彼曰（いわ）く、「特定の宗教を信じる必要はない。ただ毎日を健康に過ごし、隣人と仲よくし、言葉を正して会話を楽しむこと。そうすれば心も整い、自分も周囲も幸せになる」というのだ。

これだけのことを言うために死に物狂いの勉強をするとは。その文献資料の収集と読解ぶりは並はずれており、早死にしたのももっともと頷ける。それにしても、その到達した結論があまりにも平凡。一体、どうしたことか。

まず言えるのは、平凡とはいえ、美しい結論だということだ。老境に達しないと口に出せない思想を、わずか三一歳の身で口にするとは。この心境に到達したら、あとは死ぬほかなかったろう。

宗教なくして生きる道を示した彼は、実証主義者であったばかりか、合理主義者でもあった。なにより自身の判断を重んじ、外界の権威に頼らなかったのである。この精神の自由は、江戸時代という時代を考えると大変なものに思えてくる。難波の哲学、偉大なるかな。

比較文化論者としても、彼は優れていた。仏教はインド、儒教は中国、神道は古代日本の産物であるから、徳川時代の自分たちにわかりっこないと言い切ったのだ。私たちは根っこのわからない外国の思想や古代の思想に飛びつく癖がある。その危うさを彼ほど的確に指摘した人はいない。

いつも思うのだが、江戸時代の思想は思いのほか自由である。今よりも自由とは、どういうことか？　じっくり考えてみないといけない問題だ。

（参考文献）
石田梅岩『都鄙問答』加藤周一訳・解説、中公文庫、二〇二一年
釈徹宗『天才 富永仲基　独創の町人学者』新潮新書、二〇二〇年

転んでも、ただでは起きぬ福沢諭吉

幕末から明治維新にかけての激動の時代を乗り切るには、体力だけでなく、並外れた知力と根性が要る。そのような資質をすべて備えていたのが、大分は中津出身の福沢諭吉だ。

福沢の文章を読むと、その湧き出てくる脳力に圧倒される。たとえば「民情一新」という文章。その着想の凄さ、世界全体を見わたせる眼力に驚嘆する。本人も相当自信があったようで、英語版も出したいと思っていたという。

「民情一新」は、世界全体の人心が動力の革命で一新されてしまうことを述べたものだ。

日本のことを言っているのではない、世界全体が蒸気機関の発明で激しく動揺し、既存の社会は安定を保てなくなり、人々の精神は路頭に迷うと喝破しているのだ。

　このような世界観は、開国したばかりの日本人には見当もつかないものだったに違いない。なにしろ、国中が「太平の夢」を破った蒸気船のすごさに目も眩（くら）んでいた時である。よくもこんなに冷静に、世界全体を眺めわたせたものだ。

　蘭学を学んでいた福沢には蒸気機関の理屈もわかっていたし、その威力もわかっていた。しかし、彼はそれによって起こる人心の動揺のほうに関心をもち、そこに人類が人類の作り出したものによって自らの足場を失う大混乱を見たのである。この歴史を見る眼の鋭さ、そこに福沢の真骨頂がある。

　何事があっても冷静さを失わず、平然と物事を見定める。福沢にはそういう稀有な才能があった。それゆえ明治の日本人を「一身二生」と表現することができたのである。すなわち、日本人は江戸時代までの伝統を生きていると同時に、明治以降の西洋化をも生きている。この二つの生を同時に生きていること自体を、彼は客観視したのだ。

　そんなことができても、自己分裂に陥るだけではないのか。陥らない。福沢によれば、一人で二つの人生を生きることができるのは決して悲劇ではなく、むしろ絶好のチャンスだったのである。彼はいう、「一人で二つの人生を生きることができる時、人はその二つを比較できる。比較ができるということは、知識がより正確になることだ。そんなことは、西洋人にもできないことだ。なぜなら西洋人は、自分たちの文明しか知らないのだから」

これはすごい、すご過ぎるとしか言いようがない。

福沢はどうしてこんなことが言えたのだろう。答えは、幼い時から一身二生だったからだ。中津にいながら、母親が大阪弁だったので家の中では大阪人。外に出れば中津の人となり、この二つを使い分けていたのだ。

成長して漢文がすらすら読めるようになったが、蘭学が盛んな時代だったからオランダ語を学ぶ。そういうわけで、漢文と蘭文に習熟した。福沢の一身二生とは、今でいう二刀流なのである。

二刀流といえば大谷翔平がすぐに話題となるが、もともと日本文化は二刀流である。韓国では漢字を廃してハングルのみとしているが、日本では相変わらず漢字も使えばカナも使う。和漢混淆文は当たり前で、漢語に代わって西洋カタカナ言葉が増えたとしても、二刀流の構えは変わらない。日本文化は本質的にハイブリッドである。

福沢の自伝を読むと人生を楽々と渡った人のように見えるが、それは彼がそのように人前で自己演出しているからで、実際は苦労の連続である。そもそも下級武士の子で、しかも父親を早くに亡くしている。到底、出世の見込みはなかった。

しかし、持ち前の頭の回転の速さと人知れぬ努力で、上司たちの邪魔にもめげず、少しずつ頭角を現していく。気づいたときには幕府の通訳としてアメリカにも行けば、ヨーロッパにも行ったのだ。

そもそも福沢には独特の根性がある。欧米列強に圧迫されて開国した日本が未曾有の困難に見舞われているというのに、彼はこれを絶好の機会と捉えている。ピンチのあとにチャンスありというのではなく、ピンチをチャンスと読み替えてしまうのだ。この読み替えの力、まさに「転んでもただでは起きない」である。

そのことを端的に示す例がある。福沢は若い頃一生懸命オランダ語を学び、翻訳で生計を立てていた。ところが開国後の横浜へいってみると、そこではオランダ語ではなく英語が使われていた。オランダ語の知識は役立たなかったのだ。誰であっても、これはがっくりくる。

ところが、そのがっくりは一日だけで、翌日からは英語の先生を探し始める。これからの時代は英語だと決心し、英語の猛勉強を始めるのである。彼が幕府の通訳としてアメリカに渡れたのは、福沢は英語に強いと評判になっていたからだ。切り替えの速さ、思い切りのよさ、見事と言わざるを得ない。

福沢を見て思うのは、引きずらないことの素晴らしさである。人生は短い、失敗は成功の元と心に決めて果敢に挑戦する。こういう生き様に惚れない人はいないのではないだろうか。以上は福沢に惚れた人間の言である。

（参考文献）
福沢諭吉『福翁自伝』岩波文庫、一九七八年
大嶋仁『福沢諭吉のすゝめ』新潮選書、一九九八年

西田哲学はここがすごい

もう十数年も前、パリで西田幾多郎について講演をする機会があった。フランスの日本研究者が幾人も来ていて、話が終わってからの質疑応答の時間、そのうちのひとりが

「自分には日本思想の分からない部分があったが、今日の話でスッキリした」と言ってくれた。素直に嬉しかった。

なかに若い人がいて、興奮した表情で「日本人が哲学を語るなんて僭越ではないですか」というようなことを叫んだ。あまりに激越な調子だったので、かえってこちらは冷静になれた。「哲学を語るのに僭越ということはあり得ません」と落ち着いて答えることができた。

今思い出しても信じられないのは、その若者の興奮のしかたである。なにがそこまで興奮させたのか。それを聞いていた青森出身のある日本人が、「あれは話が面白すぎて悔しかったんですよ」とあとで言ってくれた。が、腑に落ちなかった。

その時は思いつかなかったが、哲学とはギリシャ語のフィロソフィアの翻訳語で、フィロは愛好の意味、ソフィアは智慧（ちえ）の意味だ。智慧を愛好するのはギリシャ人にかぎらず誰でもできることなので、日本人が智慧を愛好して少しも構わなかった。あの若者は完全に間違っていた。

断っておくが、フランスの若者が皆そんなおかしなことを言うわけではない。むしろ逆で、大抵はきわめて常識があり、相当の知識もあり、教わることも多かった。たとえば、地下鉄サリン事件のことがフランスで話題になった時、たまたまカフェでコーヒーを飲んでいたら、隣のテーブルにいたベトナム人らしき若者が、いきなり私に向かって「どうして日本人はあんなことをするんだ」と食ってかかってきた。すると、そのなめ横に座っていたフランス人の女性が、「事件と国籍は関係がない、どの国にもテロリストはいる」とバッサリ切り捨てたのだ。

その女性もたまたま居合わせたようなので、フランスという国は他人に無関心な人が多いのに、こと政治や哲学の話題になると誰でもが口を出す不思議な国だと思ったものだ。

それにしても西田幾多郎である。私の話した西田があの興奮した若者に僭越と映ったのは、もしかすると西田にも原因があるのではないか。というのも、西田は明治生まれの人で、当時の多くの知識人が留学した西洋に行ったこともない。しかし、大変な努力で古代ギリシャから彼の同時代までの西洋哲学を徹底的に修得しただけでなく、その中で自分の糧となると思われるものを吸収し、そこから自らの哲学を打ち立てたのである。これだけでもすごいことなのだが、そのすごさが僭越と映ったのかも知れない。

もっと正確に言えば、西田は西洋哲学の根幹にあるものをつかみとり、それでは不足があると見て、それにかわる提案をした。その提案こそが素晴らしいものなのだが、それが西洋人のなかの何かと抵触し、例の青年の感情的爆発を生んだようにも思える。

話が抽象的すぎるので、西田の提案そのものを紹介する。西田によれば、西洋哲学は人にしても、物にしても、文脈なしに存在するという前提に立っている。すなわち、「私はここにいるし、生きている。死ぬまで私は私である」そういう前提がある。ところが、実際には人も物も必ず文脈の中にある。すなわち、他のものと関連して存在する。したがって、西洋哲学の前提となっている存在という考え方は、西田哲学によって相対化されざるを得ないことになるのだ。

西田が提案したのは文脈ということである。文脈あっての私、という思想なのである。その文脈を彼は「場所」と呼んだ。その場所はそれ自体としては空っぽで、その場所にいることで人や物は存在できる。したがって、彼はこれを「無の場所」と呼んだ。

その無の場所で私は他者と出会い、関係を持つ。しかし、両者とも無の場所に依存しているので、そこから完全に独立することはない。しかし、同時にまたこの両者は、完全にその場所に従属しているわけではなく、両者の関係がそのまま場所全体の性格を形成していく。つまり、場所と場所のなかにいる存在とは相互に影響し合うのだ。西田はこの考え方を提案した。

言われてみればその通りなのだが、西洋哲学には欠けているものがそこにはあった。しかも、同じ西洋でも物理学者なら納得のできる内容だったのだ。なんとなれば、物理学では電磁場ということをいう。「地球全体が大きな電磁場だ」などという。地球の全てがこの電磁場に影響を受けており、同時に地球の全てがこの電磁場を生かしているのである。

ここまで書いてきて思った。もしかすると、西田は物理学の世界では自分の理論が通用すると知っていたかもしれないと。であるならば、彼はある程度自分の理論に自信があったことになる。そうであれば、その自信が例の激昂したフランスの若者には僭越と映った可能性がある。

妙なことだが、あの若者にもう一度会ってみたい気がしてきた。あの反応は、少なくとも正直なものだったから。

（参考文献）

『西田幾多郎哲学論集Ⅰ～Ⅲ』上田閑照編、岩波文庫、一九八七～一九八九年

カズオ・イシグロの執念

カズオ・イシグロといえば長崎生まれのノーベル賞作家。五歳のときに両親とともにイギリスに渡り、そのまま彼の地にとどまって国籍もイギリスとなった。だから、日本人とは言えない。

しかし、彼の作品には日本的なものがにじみ出ている。映画『日の名残り』を見たとき、そこに日本を感じ、原作者がカズオ・イシグロという日本名の作家だと知って納得した覚えがある。

原作を読んでみて、やっぱりこれは日本だ、日本と日本人を描いている、そう思った。だが、その日本や日本人は、日本のどの作家にも描けない、というか描こうとしない日本であり、日本人だった。

彼にはある種の執拗さ、問題の核心へ至ろうとする精神の強靱さがある。それは通常の日本作家には欠けるもので、それが彼の作品を普遍的なものにしている。

『日の名残り』は没落するイギリス貴族の世界を描いたものである。ニホンの二の字も出てこない。主人公は由緒ある貴族の屋敷につとめる執事で、この人物は日本でいうと滅私奉公の典型。お屋敷のため、ご主人様のために命を捧げるタイプだ。

だが、彼が神様のように崇めるその主人は、第一次世界大戦後に英仏から苛酷な賠償を強いられていたドイツに同情し、ナチスに対しても援助を惜しまない人物であった。執事である主人公には政治のことは全くわからなかった。ご主人様のおっしゃることならきっと正しいにちがいないと心を決め、主人が屋敷に勤めるユダヤ人を全員解雇するようにと言うと、なんの躊躇もなく解雇してしまうのである。そういう主人公の内面を、作者イシグロは執拗に追及する。

イシグロのすごさは、この主人公のように主人の命令ならなんでも従うことがいいことなのか、滅私奉公はほんとうに美徳なのか、それを執拗に問うところにある。なぜそういう問いが出てくるのかといえば、日本では実際にそのような精神が国全体を支配し、それが人々を戦争へと追いやったからである。イシグロはそのような自分の先祖の国、否、自分の両親の国の歴史を知るにつけ、日本の戦争を自らの責任として引き受けているように見える。

イシグロがどこまでそれを自覚しているか、本人に聞かないとわからない。だが、彼の問いかけが仮にも日本に向けられているとするなら、日本の読者はそれを真摯に受けとめねばならない。皮肉なことに、『日の名残り』の主人公は主人とともに終戦を迎え、長年つとめた愛着ある屋敷はアメリカ人の富豪に買い取られてしまう。となると、今度はアメリカというご主人様に仕えることになるのである。伝統に生きる人間の、伝統など少しもわからないアメリカ人との出会い。そこに戦後日本を重ねることができる。

イギリスは第二次大戦の戦勝国である。しかし、主人公の心は晴れない。なんとなれば、彼の尊敬する主人が戦時中に敵国と通じていたからで、そのことを主人は公の前で「自分は誤った判断を下した」と反省し、謝罪する。主人公は悲嘆に暮れる老主人を見るのがつらかったし、由緒ある屋敷は今やアメリカの富豪のものとなり、自分もその屋敷とセットでアメリカ人の手に渡った。なんとも悲しい戦後なのだ。

作品のクライマックスは、主人公が自分の人生は失敗だったと悔やむ場面である。なにが失敗だったかと言えば、人間に過ちがあるのは仕方ないとしても、ご主人様は自らの過ちを反省することも謝罪することもできたのに、自分にはそれすらできなかったことである。

つまり、自分には自分の行動に責任を感じる主体性すらなかったということで、そういう他人まかせの人生を、今になって悔いているのだ。

この主人公の悔やみはそのまま戦後日本に重ねることができる。日本人はなんのために戦争をしたのか。そのことがわからないままに戦争を始め、ついに敗戦してしまったではないか。

多くの日本人にとって、戦争は「お上」がやれと言ったからやったのであり、そこには主体というものがなく、したがって責任というものもなかった。その点を、イシグロは執念をもって追及するのである。どうあっても、この問題を放置して置けなかったのだ。

では、そのような執念をどうやって彼は持つに至ったのか。おそらくは、彼がイギリスで育ったからである。イギリスのNHKともいうべきBBCが製作するテレビドラマを見れば、現在のジャーナリズムのあり方を批判的に扱った『プレス』、過剰とも非難されるロンドンの監視カメラの問題を扱った『ザ・キャプチャー』など、いずれも深刻な問題を正面切って扱っている。そのような厳しい空気はイシグロの体内にも染み込んでいるはずで、それが彼の作品の重みとなっているのだ。

イシグロの作品は、イギリス本国はもちろん諸外国でも評判である。だからこそノーベル賞受賞となったのであり、彼の追求するテーマは日本以外の国にも当てはまるにちがいない。しかし、日本人である私たちは、彼の作品を日本へのメッセージと受け止めるべきだと思う。彼の声を、耳を澄ませて聴きとろうではないか。

（参考文献）
カズオ・イシグロ『日の名残り』土屋政雄訳、ハヤカワ epi 文庫、二〇〇一年

第3章 パルメニデスからヘーゲルまで　西洋の哲学

日本の思想に多大な影響を与えた中国の哲学、世界で最も深遠なインドの哲学、それらをすっとばして西洋の哲学を語るのは、言うまでもなく近代世界が西洋中心に回っているからである。西洋哲学を知らずに、今日における自分たちの立ち位置を知ることはできない。以下、西洋哲学のエッセンスと思われる部分に光を当ててみたいと思う。

西洋哲学の父パルメニデス

西洋哲学はソクラテスとともに始まったと思う人は多いだろう。いや、プラトンこそ西洋哲学の父だと言う人もいる。しかし、実はパルメニデスこそ、西洋哲学の父なのだ。

パルメニデスについてはあまり資料が残っていないし、最近までさほど取り沙汰されなかった。しかし、彼以前と彼以降で西洋哲学は大きく変わったといわれる。その影響は現代の欧米にも残っている。

彼の言ったことは二つある。ひとつはこの世界はたった一つの元素から成り立っているというもの。もうひとつは、「存在しないものについては考えるな」である。この極端な思想が西洋を貫いて二五〇〇年。考えれば考えるほど、不思議である。

現代の物理学は、この世には一〇〇以上の元素があると教える。しかし、その一〇〇以上の元素は、実は同じ構造の原子であって、ある元素と別の元素とのちがいはその原子の重さのちがいだという。だから、究極、世界は原子のみ。すべてはパルメニデスの言うごとく、同じ一つのものから成り立っているのだ。

原子の中身がどんな物質でも同じというのは、にわかには信じ難い。しかし、「本当なのか?」と聞けば、「はい、本当です」と科学者は異口同音にいう。さよう、科学者はこの世界をできるだけ数の少ない要素で説明し切ろうとする人々で、多かれ少なかれパルメニデスの子孫である。

現代の物理学では、この宇宙には重力と電磁気力とそのほか二つの力がはたらいているともいう。つまり、四つの力がはたらいているというのだ。しかし、それでは多すぎるので、実はたった一つの力しかないと力説する学者もいる。すべてを一に還元したがるパルメニデス派はいまだに勢いがある。

耳にタコができるほど聞くグローバル化は、経済システムを世界中ひとつにまとめ上げてしまおうという考え方に基づく。文化のちがい、社会のちがいを超えて人類は一つ、地球は一つと主張する凄まじい考え方だ。これが現代世界を動かし、その恩恵を受ける者もあれば、悲惨な目に遭う者もいる。また、これに暴力をもって抵抗する者も現れて、彼らはテロリストと呼ばれる。

多様性あふれる世界をたった一つの元素に還元したがる現代のパルメニデスたちは、それによって巨額の富を獲得できると信じているのだろうか。それが可能となるには、多数の人類、無数の生物が犠牲になることなど顧(かえり)みもしない。

先にも述べたが、パルメニデスは「存在しないものについては考えるな」とも言った。この世には存在するものと存在しないものがあると二つに分けて、前者のみを考えよと言ったのである。

存在するものと存在しないものとは、簡単にいえば、生者と死者のことだ。パルメニデスは生者しか考えず、死者を闇に葬り去ろうとしたのである。考えるとは光を当てること。生者にのみ光を当てて、死者は闇に眠らせ、そこに光を当てないほうがいいと言ったのだ。

幽霊を信じない人でも、この考え方には抵抗を感じるだろう。この世を去ったにしても、死者があの世で生きている可能性はないわけではない。今のところ、その点に関して科学的にはなにも証明できていないだけだ。

要するに、パルメニデスは死者を存在として認めたくなかったのである。この考え方が長く引き継がれ、今日に至っている。

ヨーロッパの大学で長年教鞭をとったあと、ようやく母国に戻った韓国人女性に会ったことがある。彼女が言っていたことで印象に残っているのは、韓国では葬儀に一週間かけるのに、欧米ではそれが極端に短いということだった。彼女が父親を亡くした時も、一週間ゆっくり亡き人に別れを告げることができ、大変ありがたかった。欧米では人が死ぬとすぐ葬儀を済ませるが、これは死者への敬意がないからだと言っていた。

なるほど、洋の東西では死というもの、死者というものへの態度が異なるようだ。パルメニデスはその意味でいかにも西洋的なのだ。

アリエスというフランスの歴史家は西欧人の死者に対する考えが近代化によって大き

く変わったと言っている。近代になって死が蔑ろにされ、セックスがやたら賞賛されるようになったというのだ。とすれば、中世まではヨーロッパにも死者への尊敬があったことになる。パルメニデス主義は近代になってかえって勢力をもつようになったのかも知れない。

映画『ラスト サムライ』は、トム・クルーズ扮するアメリカの軍人が明治初期の日本にやって来て、渡辺謙扮する武士に「最後のサムライ」を見つけて感動するという話である。

武士から刀剣を奪う新政府に逆らう武士たちが、名誉をかけて潔く死にゆくその姿に、このアメリカ人は感動するのである。では、そのアメリカ人は「最後のサムライ」と共闘し、自らも命を落とそうと思ったかというと、もちろんそれはない。無傷で故国に帰るのである。

明治天皇にそのサムライの死について問われても、彼はそのサムライがいかに生きたかしか語らない。死についての認識が欠落しているのだ。死は生と同じ重さをもつ事実。パルメニデスのように死から目を背けるのでは、この世のバランスは保たれまい。

（参考文献）
廣川洋一『ソクラテス以前の哲学者』講談社学術文庫、一九九七年
フィリップ・アリエス『死と歴史　西欧中世から現代へ』伊藤晃・成瀬駒男訳、みすず書房、二〇二二年

ホメロスの罪

古代ギリシャのホメロスの語った冒険物語は現代にまで受け継がれている。そのうちの一つ「オデュッセイア」は、西洋文学の原点とも言われる。

ある戦士が航海に出て、難敵を破り、幾多の困難を経てやっと帰還する。しかし、家に戻ってみると自分の留守中に妻に言い寄った男が複数いたとわかり、彼らをつぎつぎに殺すという話である。

これが西洋思想の原型とすると、世界を征服し、自らの拠点は守り続けるのが西洋ということになる。まさに力の論理の典型だが、その力が知力によって倍化されているところが重要である。敵を脅し、だまし、優位に立つことをつねに目指す。

多くの西洋人が愛好してきたこの物語であるが、これにケチをつけた西洋人がいる。アドルノとホルクハイマーである。この二人によれば、この物語の主人公は狡猾で、他人に心をひらかない、人間性に乏しい人物である。帰途の航海で美しい歌声で誘惑する海の怪物の魅力を感じつつ、それに取り憑かれないようにわざわざ我が身をマストに縛り付け、それでもその歌声だけは聴こうとしたりするのだ。

つまり、快楽を得るのに予防措置をとる。そういう計算をアドルノとホルクハイマーは厳しく弾劾した。功利主義あるいは効率主義への批判である。

「快楽を得るための予防措置の何がいけないのか?」と疑問を持つ人に、彼らは次のようにいう。歌声の美しさに魅了されたくないのなら、初めからその怪物に近づかなければよいのに、近づいて歌声を聴いたうえで、さらにその魔力に引き入れられないようにするのはあまりに狡(ずる)いというのだ。彼らはこの効率主義を、西洋文明が古代から引き継いできたものと見る。西洋文明の抜本的批判である。

彼らがナチス・ドイツを逃れてアメリカに渡ったユダヤ人だと言ったら、なるほどと納得する人もいよう。彼らに言わせれば、ナチスの本当の恐ろしさはヒトラーにはない。ユダヤ人を憎んでもいないのにヒトラーの言うことを聞き、機械的に多くのユダヤ人をガス室に送り込む自動化された精神のほうにある。その自動化は精密な計算に裏打ちされたもので、それが「オデュッセイア」から西洋が引き継いだ悪知恵だというのだ。

しかし、疑問は残る。第一に、西洋文明には別の面もあるのではないか。たとえば西洋音楽の示した精神の高みは、決して効率主義による自動化が生み出したものではない。アドルノとホルクハイマーはナチスの大量ユダヤ虐殺のショックで、西洋文明の暗黒面ばかりを強調しすぎてはいないか。

もう一つの疑問は、果たして彼らのいう精神の自動化は西洋だけのものかということだ。すべての文明にそのような兆候が見えるのではないか。とくに現代の高度に技術化された文明は、世界中どこへ行っても思考を経ずして物事が決定されていくシステムを生み出している。私たちの精神は自動化され、反省もなにも起こらないのである。そうしているうちに、ふと気づけば足元に多くの死骸が見つかるこの現実。ＳＦでもなんでもない。

『２００１年宇宙の旅』という映画がある。原題は「スペース・オデッセー（宇宙のオデュッセイア）」、すなわちホメロスの冒険物語の未来版である。この映画のすごいところは、人間が機械を動かして宇宙旅行をしていたつもりなのに、いつしかそれが逆転し、機械すなわち人工知能のほうが人間の意思に逆らって宇宙船を操縦してしまうという展開である。ホメロスの未来版の英雄は単なる機械の奴隷に過ぎず、故郷に帰還できるどころか、未知の世界に連れて行かれてしまうのだ。

つまり、ロボットのほうが人知をうわ回る。人類の未来を暗示するこの重い作品が今から半世紀も前につくられたとは、とても信じられない。

この映画を見ると、ホメロスの罪など可愛いものだと思えてしまう。しかし、ホメロスが人知を信頼し過ぎたがゆえに、それを引き継いだ後代の人類が人工知能を作り出したのだともいえる。ホメロス路線を歩んだ人類が、自分たちの知能でつくったロボットに支配される時代が来る。効率を重んじるあまり、効率の奴隷になってしまうのだ。

原子核分裂がものすごいエネルギーを放出することを知ったとたん、人類はこれを戦争に用いることを考えた。そして、それが実現したのが広島・長崎である。それで懲りたかと思えば、こんなに効率のよい武器はないということになり、余裕のある国も、ない国も、核兵器開発をはじめた。

もっとも、自然の自己再生能力の前では人知などたいしたものではない。人工知能といえども、全自然を破壊し尽くすことはできない。人の住めなくなったチェルノブイリが、草木だけでなく動物たちの楽園となりつつあることを、みなさんは知っているだろうか。どんな狡猾な知をもってしても、私たちは自然を潰すことなどできないのである。人知を過大評価してはならない。

（参考文献）
ホメロス『オデュッセイア』松平千秋訳、岩波文庫、一九九四年
T・W・アドルノ／M・ホルクハイマー『啓蒙の弁証法　哲学的断想』徳永恂訳、岩波文庫、二〇〇七年

ピタゴラスの無理な注文

ピタゴラスの定理というのを学校で習った。直角三角形がどうのこうのという定理である。よくもそんなことを考えたと思うのだが、古代ギリシャには円周率を計算した人もいる。

ピタゴラスは数を崇拝するカルト集団の教祖だったという。ほんとうか嘘か知らない

が、教団のなかに無理数を発見した者がいたので、即刻この者を死罪にしたという。狂気の沙汰というほかないが、それほどに「有理」に執着したのだ。

有理といえば、中国共産革命の主導者毛沢東が放った言葉に「造反有理」がある。造反、すなわち権力やシステムに逆らうことには理があるという意味である。では、どんな造反でも理があるのか。造反には必ず理があるというのなら、単なる暴力の肯定にすぎなくなる。

フランスでは「理」（レゾン）という言葉がよく使われる。フランス人は有理の民族、自分たちが合理的であることを自認している。フランス語で「君は正しい」は「君には理がある」という。英語なら「君は正しい」の「正しい」は形容詞なのに、フランス語では「理」という名詞がくる。

毛沢東にもどれば、中国も理を重んじる国だ。江戸時代の日本の知識階級はいずれも中国産の朱子学を学んだわけだが、この哲学の根本は理なのである。宇宙は理と気からなっているとする朱子学において、中心となるのは理であった。

ところが、そういう朱子学を学んだ日本人のなかに、これに異を唱える者が現れた。伊藤仁斎である。理より気のほうが大切であり、理は気から生まれたとまで言っている。

仁斎の考え方は日本らしい。日本では理より気の方が愛好されるのである。「気分がいい」「気持ち悪い」「気力充実」「気前がいい」など、気をつかった表現はゴマンとある。ところが「理」となると、「理屈っぽい」という表現が示すように、どちらかといえば堅苦しさを感じさせる。日本人は理より気を好む民族のようだ。

とはいえ、「無理が通れば道理引っ込む」といった表現もあるように、日本人も無理なことは嫌である。「理」を無視しようとは思っていないのだ。いくら「気」が根本であっても、「気」だけではどこへ行くかもわからず、収拾がつかなくなる。人さまにも迷惑がかかる。やはり「理」は必要なのだ。

古代ギリシャに話をもどすと、もともと「理」の原意は「割合」とか「比例」といった意味だそうだ。円形のケーキを五人で分けるときの一人分を、「理」と言ったのだ。ひとりが大半を占めるのではなく、均等に分ける。すると、すっきりする。そういうことだったようだ。

先にピタゴラスは有理に執着したと述べたが、つまりは「割り切れる」ことに執着したのである。無理数というもの、たとえば$\sqrt{3}$は割り切れない数だから嫌悪したのである。ところが、この世の中、割り切れないことが多い。ピタゴラスにはこれが我慢ならなかった。

彼が秘密結社をつくったのも、ひたすら割り切れる数に浸り込み、それ以外は切り捨てたかったからだろう。そういうわけだから、いつまでも割り切れない無理数を発見した天才を許せなかった。

その意味でピタゴラスは古い考えの持ち主だった。しかし、彼のような、割り切れないことを嫌う心性は現代にも残っている。端的な例はヒトラーとその周囲にいたナチス党員たち。彼らは現代のピタゴラス的カルト集団で、ユダヤ人という割り切れない集団を抹殺せずにいられなかったのだ。

カミュの小説『異邦人』の主人公は、これといった理由もなく人を殺したということで死刑になっている。殺人にも理が必要なのだ。無理数はやはり認められない。

今の日本に自分たちの集団を乱す人々が現れたとしよう。日本人のなかにも、ピタゴラスのようにその人々を無理数として片づけようとする人がいるのではないだろうか。人間というものは御しがたい代物。とんでもない理屈を立てて、他者を抹殺したがるのである。

だが、そうであってもなお、西洋がなによりも有理を求める世界であることは知っておきたい。合理的なものしか受けつけない伝統があるのだ。「我思う、ゆえに我あり」を明言したデカルトは、その有理の哲学の典型であった。

虚数といった常識ではあり得ない数が発見されたとき、彼はこれを計算には便利だが、想像力の産物に過ぎないと切り捨てた。これに対してライプニッツという同時代の哲学者は、虚数は想像上のものではなく神様の叡智が宿っていると主張した。近代科学で陽の目を見たのはデカルトのほうである。

西洋では依然として合理主義が強く、理に対する執着は非合理なほどである。「ミイラとりがミイラになる」というが、無理を嫌悪しすぎれば理を失う。有理への執着に理はないのだ。

イギリス人は自分たちを揶揄して、自分たちはフランス人とちがって「理」がわからないという。そして、「でも、常識は自分たちのほうがある」と舌を出す。理は大切かも知れないが、これに執着すれば非常識となる。

（参考文献）
中村滋・室井和男『数学史　数学５０００年の歩み』共立出版、二〇一四年

川喜田二郎『「野性の復興」デカルト的合理主義から全人的創造へ』祥伝社、一九九五年
小島毅『朱子学と陽明学』ちくま学芸文庫、二〇一三年
アルベール・カミュ『異邦人』窪田啓作訳、新潮文庫、一九六三年

現象の彼方を見つめるプラトン

学生のころ、中村元の『インド人の思惟方法』を読んだ。その本の中で今でも忘れられないのは、「インド人にとって実在するのは観念であって、現象ではない」という言葉だ。

著者がいうには、私たちが「この花は美しい」という時、インド人は「美がこの花にある」というのだそうだ。小林秀雄が「美しい花はあるが、花の美というものはない」と言ったのと正反対である。

現象より観念を優先させるということは、感覚を信じないということだ。感覚されたものを幻と見るのだろう。インド人がそのように世界を見ているのかと思うと、不思議でたまらない。

西洋にも似たような観念論があり、その元祖は古代ギリシャのプラトンである。プラトンの思想がアレクサンダー大王の遠征でインドまで運ばれたのかどうかはわからないが、ガンダーラの仏像がギリシャ彫刻に似ているのだから、あり得ないことではない。

現象を信じないで観念を信じるとは、科学の世界では当たり前のことである。現象としては朝日が昇り、夕日が沈む。科学者はこれを疑い、ついに地球が自転していることを見つけた。現象を信じつづけていたなら、自転も公転も決して見つけられなかったはずだ。プラトンのおかげで科学は進歩した。

そのプラトン、どうしてそんなことを考えついたのか。おそらく、瞑想によってである。瞑想の中で、私たちが感覚している世界の奥に本体としての世界があると気づき、瞑想から出たのちに、その本体を観念（イデア）と呼んだのだ。

彼にすれば、このイデアの世界こそが真実なのだから、感覚に惑わされてはいけないことになる。感覚に惑わされているうちは確かなものはつかまえられず、精神は不安定なままだというのだ。哲学とは、彼にとって、イデアの世界を追求することだった。

プラトンはイデアの世界は忘却の彼方に没しているので、これを思い出さなければならないとも言っている。失われた記憶を回復しなくてはならないのだ。彼はまた、その記憶の回復を助けるものとして、幾何学の勉強を挙げている。彼の哲学において、幾何学は必須だったのだ。

幾何学の世界は具体的な感覚を超える。正三角形とか、一〇人いるとかは想像できるが、その不完全な形しか感覚できない。したがって、幾何学を勉強することは私たちを感覚から自由にし、イデアの世界に近づくことを助けるのである。

このようなことは教科書にも書いてあるかも知れないが、まるで夢のようである。プラトンの言っていることは本当かも知れないが、実感しにくい。

ところがあるとき、日本人の数学者・岡潔の本を読んで、ああそうかと合点した。岡はプラトンのいうイデアのことを「理想」と呼び、数学には理想がなければならないという。そして、その理想というものは、未だかつて会ったことのない母親のようなもので、私たちにはその母親に対する「懐かしさ」があるというのだ。プラトンのいう「思い出す」が、岡の場合は「懐かしさ」となっている。

だが、会ったこともない母親を懐かしむなど、考えられないことだ。自分が生まれた時に自分を捨てた母親のことを言っているのか。しかし、多くの人は母親に捨てられていない。仮に自分を捨てた母親がいて、その人の記憶がないとして、そのような母親を懐かしむことなどあり得ないだろう。岡の言っていることは、常識からすればデタラメである。

しかし、岡はいう。会ったことのない母親を探す子は、ある女性が出てきて「私があなたの母さんですよ」と言っても、それが嘘だとわかる。ところが本物の母親が現れれば、直感でこれは本物だとわかるというのだ。

この言葉を読んだ時、デジャビュのようなものかも知れないと思った。もしかすると、私たちはみなこの失われた母の記憶を持っているのだが、それを思い出すことができないだけなのかも知れない。

あの遠いギリシャのプラトンも、そういう感覚を抱いていたのではないか。人はみな、もしかするとそういう思いを胸底に潜めているのかも知れない。

岡を通してプラトンに接し、プラトンと接して人類がおぼろげながら見えてくる。インド人でなくても、観念の世界に触れることができる気がしてきた。

韓国の慶州に行ったことがある。いにしえの都だ。そこで石窟仏を見た。あの白い仏像を見たとき、ああこれはどこかで見たことがあると思ったものだ。岡潔の言葉でいえば、見たことのない母親と出会ったのである。

なるほど、仏像というものはプラトンのいうイデアの具現である。誰も仏など見たことはないのだから。イデアは夢の中に忽然と現れる幻とはちがう。プラトンなら、あなたの信じている感覚の世界のほうが幻だと言うだろう。私たちの心の奥に潜むものを垣間見るには、それ相応の訓練が必要なのだ。

さて、プラトンは科学の原点だとしても、現代人は彼を忘れている。科学が実用の科学になり果てたからだ。つまり、現代科学はその産みの母を捨てたのである。

（参考文献）
中村元『インド人の思惟方法』春秋社、一九八八年
小林秀雄『モオツァルト・無常という事』新潮文庫、一九六一年
プラトン『メノン』藤沢令夫訳、岩波文庫、一九九四年
岡潔『春宵十話』角川ソフィア文庫、二〇一四年

デカルト的エゴの哲学

デカルトといえば一七世紀の人、近代哲学の祖とされる。有名な彼の言葉「我思う、ゆえに我あり」は、人間は考えないうちは自分が存在しているかはっきりわからないから、考えなければ自分が存在しているとはいえないという意味に解釈できる。

なるほど、ぐっすり眠っている時は自分が存在しているのかどうかわからない。デカルトのいうことは、当を得ているようにも見える。

しかし、彼は「人間は」といわずに「我」と言った。すなわち、自分ひとりのことを言ったのである。したがって、この言葉は近代的な自我、環境世界から自立した自我の確立を示すものと解釈することができる。となると、デカルトは近代西欧思想の代表ということにもなるのである。

丸山眞男といえば日本思想史の大家であるが、その彼もデカルト派であった。「であること」と「すること」を区別し、前者を受身の態度、後者を積極的な態度に呼応させ、これからは何ごとについてもこうであると決めつけず、積極的に行動しようではないかと訴えたのである。

彼の姿勢は、何ごとも受け入れるのではなく、自分で考えて行動することが大事だという近代的なものであり、その淵源をたどれば、既存の考え方に疑いをはさんで前進することを提唱したデカルトに行きつくのである。

しかしながら、そのようなデカルトが二〇世紀になると急に評判を落としはじめる。その先陣を切ったのがシモーヌ・ヴェイユで、彼女はデカルトがすべてを疑った末に「我思う、ゆえに我あり」にたどり着いたことについて、ごまかしがあると言ったのである。

あらかじめ自分が存在していることを前提にした上で、あえてすべてを疑ってみせるのは一種のごまかしではないか。それが彼女の言い分である。本当に全てを疑ったら、最後には疑う自分をも疑ってしまうはずではないか、というのだ。

彼女はまたデカルトが幾何学を代数化したことを厳しく責めた。中学校で習う座標軸の上に描く図形は、あれはデカルトが考え出したもので、これであらゆる図形が数式に置き換えられるようになったのだ。それを見たシモーヌ・ヴェイユ、抽象的な数式が具体的な形に優先する時代がデカルトのせいでやって来たと嘆き、彼のせいで科学が私たちの具体的な生活から遊離したものになってしまったと糾弾したのである。

彼女とほぼ同年代の人類学者レヴィ＝ストロースも、デカルトの厳しい批判者であった。彼はデカルトの哲学をエゴの哲学と定義し、彼が自己の存在を認めたすぐあとに、自身を取り巻く社会や他者と自分の関係について考察することなく、いきなり数学と物理の世界に埋没したことを人間的な欠陥として非難している。その結果、デカルト路線に沿って発達した近代科学も倫理的な観点が欠けている、と見たのである。

彼がそこまでデカルトを厳しく非難したのは、同世代にサルトルという哲学者がいたからだ。サルトルといえば左翼思想家であり、労働者の味方であるような印象を与えており、作家の大江健三郎などが崇拝に近い感情を抱いていた人物である。しかし、レヴィ＝ストロースによれば、このインテリはデカルトのエゴ哲学を一歩も出ない、典型的な西欧中心主義者だったのだ。

もっと最近になると、今度は神経科学者がデカルト攻撃を始めている。『デカルトの誤り』を書いたダマシオは、この哲学者が科学的に見て完全に誤っていると述べたのである。その根拠はというと、まずデカルトは心と体を完全に分離させているが、生物としての人間の心とは実際には脳のことであり、その脳は身体の一部であり、身体各部と密接につながっているのだから、デカルトのいう心身二元論はあり得ないというのだ。

ダマシオはさらに、デカルトは理性と情念を対立させ、理性は人間だけにあり、情念は動物にもあるから、理性が情念の上位にあると見ているが、これも間違いだという。

なんとなれば、生物としての人間は外界の刺激によって生じる身体反応を情動として表現し、その情動がアップグレードされて感情になり、その感情がさらにアップグレードされて理性的な思考がはたらくようになるからだというのである。

つまり、ダマシオによれば、感情は理性に対立するのではなく、理性の土台である。その感情が発達しなければ理性は生まれ出ないのであって、デカルトは感情について誤った見方をしたということになる。

私たちはしばしば「感情的になるな、理性的になれ」と言われる。しかし、そのような言葉はデカルト式の考えに基づくのだと気づくべきだろう。感情をうまく育て、これをうまく表現できるようになれば、他人とうまくやっていけるだけでなく、冷静な理性的思考もできるようになる。これが神経科学者ダマシオの言うことなのである。

ダマシオの説は教育にも活かせる。子どもはまず感情を育て、これを表現できるようにさせれば、理知もはたらくようになる。保育園や小学校の先生、これをどう思います?

（参考文献）

ルネ・デカルト『方法序説』谷川多佳子訳、岩波文庫、一九九七年
丸山眞男『日本の思想』岩波新書、一九六一年
大嶋仁『科学と詩の架橋』石風社、二〇二二年
クロード・レヴィ＝ストロース／ディディエ・エリボン『遠近の回想』竹内信夫訳、みすず書房、一九九一年
アントニオ・R・ダマシオ『デカルトの誤り』田中三彦訳、ちくま学芸文庫、二〇一〇年

よみがえるスピノザ

スピノザの名を初めて知ったのは大学生の時だ。ある授業で先生が熱心にスピノザの話をしていた。授業が終わって隣に座っていた女子に「スピノザどう思う？」と聞くと、「まるで原始人」とポツリと言った。私にはその真意がわかりかねたが、それ以上は問わなかった。

その後彼女の言をいくら考えても、答えが出なかった。彼女は無駄口をきく人ではない。きっと、意味があるに違いない。そう思って半世紀が過ぎた。

あの授業で先生はスピノザを中国哲学と比較していた。仏典とも比較していた。事あるごとにナトゥーラ・ナトゥランス、ナトゥーラ・ナトゥラータをお題目のように唱えたその声は今でも耳元で響く。この二つの語は、スピノザの自然観を端的に表すものだった。

スピノザのナトゥーラは「自然」と訳すのでは不正確で、「創造」と訳すべきだと先生は言っていた。自然は創造されたものであるだけでなく、創造しつづけるものだという思想がスピノザの神髄だとも言っていた。だいぶ後になって、現代の哲学者が書いたスピノザ論に、スピノザは生命を尊ぶ人だと書いてあった。そうか、スピノザは生命論者だったのか。

人間は自然の力で生み出されたものである。しかし、その人間は自然の力を自分でも持っており、なにかを創造することができる。この考え方は、日本人の原点である『古事記』の産霊（ムスヒ）につながる。産霊は生殖エネルギーのことで、これが世界を動かしているというのが『古事記』的世界観である。

このようにみると、あの学生時代の隣の女子の言葉の真意が見えてくる。『古事記』の世界を原始人の世界と見るならば、スピノザはたしかに原始人なのだ。

コロナがはやり出してから家に閉じこもることが増えた私は、仏典を覗くようになった。難解すぎてわからないので、ただ覗くだけである。しかし、それでもわかったことがある。あのとき先生がスピノザと比較していたのは華厳経だったということだ。「事々無碍」とか「事理無碍」とか、わけのわからない言葉の連続するこの経典を、先生はスピノザと比べていたのだ。

華厳では人間の認識は四段階に分けられているが、スピノザは三段階に分けている。欲望にもとづく認識が第一段階。これは幼児に典型的にみられるが、大人にも欲望はあるのでこの認識から抜け出せない。次の段階は理知の認識で、なるほどこういうわけで自分はこういうふうに物事を見るのだという自覚に到達する。これだけでもすごいのだが、それを乗り越えないと悟れないというのが第三段。

第三段の認識は悟りであるから、すべてを「永遠の相」において観ることになる。この「永遠の相」というのがわからない。悟ってみなければわからないのだから、わからなくて当然だと言われればそれまでだ。でも、わかりたい。

道元だったかわからないが、禅の本にこういう話があった。ある仏師が一生懸命石をけずって仏像を作ろうとしていた。そこへ現れた寺の和尚が「まだ、出来んのか。いつになったら出来るのじゃ」と催促した。しかし、仏師は黙って石をけずりつづけた。

何日かして、また和尚がやって来て同じ質問をした。たまりかねた仏師は、石をけずる手を止めてぶっきらぼうにこう言った。「見えんのですか。仏様はここにいらっしゃる」と石を指さしたというのだ。

話はここで終わっているが、この仏師の言ったことがスピノザのいう「永遠の相」なのかもしれない。仏像は創造される物ではなく、創造する行為なのだ。

それにしても、スピノザはデカルトと同じ頃の人なのに、考えがあまりに違いすぎる。原始人とは思えないが、西洋人とも思えない。あの大学の先生が東洋哲学と比較するのも無理なかった。

デカルトは自然を超えるものとして神を考え、人間の理性がその神に匹敵するものと思った。彼にとって、動物は理性がないから自然を超えられず、機械的な反復行為しかできない存在だったのだ。

一方のスピノザは自然が神であり、神はそれ以上でも以下でもなかった。人間も動物も生き物すべては自然が生み出したものであり、同時に自然なる存在として自らを生み出すことができるのだ。その限りにおいて、生き物すべて神なのである。

二人の哲学者のちがいは物事に対する態度に端的に現れる。デカルトにとっては理知的でないものはすべて下等なものとして排除され、理知が世界に君臨し、あたかも神のように自然を支配する。スピノザにとって、そういう態度は不遜であり、自然という神に対する冒瀆だったのである。

『古事記』の伝統に基づく日本人なら迷わずスピノザを支持し、デカルトを採らないだろう。しかし、明治以降の日本人は知らず知らずスピノザ的思考を離れ、デカルト派に加担してきた。それが西洋流であり、世界の主流だという理由で。

しかし、もうその流れから脱却しなくてはならないだろう。スピノザを我らの内によみがえらせようではないか。

（参考文献）
スピノザ『エチカ』畠中尚志訳、岩波文庫、一九五一年
『古事記』倉野憲司校注、岩波文庫、一九六三年
道元『正法眼蔵』増谷文雄訳注、講談社学術文庫、二〇〇四～二〇〇五年

ヴォルテールを忘れるな

ある夏のこと、小さな城を持つというフランスの老人に招かれてボルドー近郊の村へ行った。城といってもフランスでいうシャトーであって、日本語に訳せば館である。庭には鬱蒼と樹木が生い茂り、花は少なかったが小さな池があり、そのさらに向こうには広大な緑の野が広がっていた。ヨーロッパにはこんな館に住む貴族みたいな人が今でもいるのか、と今さらながら驚いた。その老人は威張るでもなく、ただ上品だった。

夕暮れどき、少し散歩しましょうと誘われて一緒に池の周りを歩いた。そのとき、彼はふとこんなことを漏らした。「フランスはだめですな。落ち目も落ち目。時代がすっかり変わりました。アメリカの時代だ」

元気づけようというわけではなかったが、私はこう言った。「フランスにかぎらずヨーロッパ全体が落ち目ですね。でも、現代世界の基本的価値観はぜんぶフランスがつくったものですよ。人権思想、信教の自由、教育の機会均等などなど。どれもフランスの啓蒙思想が生み出したものです」

老人はうなずいた。しかし、その顔は相変わらず曇っている。「啓蒙の時代。つまり、二五〇年前のことですね」とぽつりと言った。

一般に哲学史は個々の哲学者に光を当てがちだが、紀元前五世紀ごろのギリシャ、春秋戦国時代の中国、一八世紀のフランスが哲学史の華であろう。さまざまな思想が出そろい、互いに火花を散らした時代だ。

古代ギリシャといえばプラトンとアリストテレスとなるけれども、この二人はそれまでの哲学のまとめ役で、ソクラテス以前の多彩な顔ぶれこそ豪華である。中国の場合は「諸子百家」と呼ばれ、さまざまな面々がそれぞれの世界観を提示した。一方、現代に直接つながるフランスの啓蒙時代は、ヴォルテールとかディドローとかルソーとか、これまた錚々（そうそう）たるメンバーである。彼らが演じた人間劇、思想劇は見応えがある。これこそドラマと思わせるものがある。

こうした時代は安定した時代ではなかった。しかし、人々には活力がみなぎり、それぞれの言語がぶつかり合って「考える」ことの凄さを示している。私たちがなすべきは、多彩な彼らの中から一人を選ぶことではなく、全体の合唱を聴きとることであろう。この合唱こそ、過去の人類が私たちに遺したほんとうの財産なのである。

とはいえ、フランス啓蒙思想にかぎっていえば、私はヴォルテールを選ぶ。欠点も多いが、それを隠そうともしなかった人だ。いつも本音で勝負するところが小気味よく、彼がもたらした思想は今でも宝石のように輝く。

ヴォルテールは若いころ時の権力者と対立してパリから追放となり、そのおかげでイギリスに渡った。彼の地でフランスとはまったく異なる文化に接し、その美質を堪能し、母国に帰るとさっそく英国をダシにフランス批判を始めた。その切れ味の抜群なこと。見事な役者である。

ヴォルテールといえば寛容の思想で知られる。子どものころカトリック教徒たちが大勢のプロテスタントを虐殺した聖バーソロミュー事件の話を聞いて、体の震えが止まらなかったという。三つ子の魂百まで。生涯を宗教的寛容のために捧げた。

彼の書いたものにはイスラム教徒や儒教学者やヒンズー教徒や神道の神主（ヴォルテールはカニュシと呼んでいる）まで出てくる。世界には五万（ごまん）と宗教があり、それぞれ真剣に信じている人がいるのだから、これらを互いに尊重しなければならないというのである。この視点は、イデオロギーが理由で人を殺す人がいまだに後を絶たない現在でも、もちろん有効である。

宗教やイデオロギーは、それを信じ込むとほかが見えなくなるという危険がある。一神教の場合は他の神を認めないのだから、なおさら危険である。もし日本人が一神教信者であったなら、仏教が現れてもこれを新たな神として迎え入れることなどできなかったろう。そのかわりに、血なまぐさい争いが起こったはずだ。

ヴォルテールの思想は相対主義とも呼ばれる。世界各地それぞれに歴史が異なり、文化もちがうけれども、それらは等価なのだという考え方だ。これまた現代には貴重な考え方で、グローバル化の名の下に世界全体を一つの文化にしてしまおうとするその勢いは、この観点から阻止されなくてはならない。

グローバル化は経済的な運動であって、そこに思想的な意図はないなどと言うなかれ。そこには思想的な諸前提があり、たとえば幕末に日本に開国を迫ったペリー提督の論理にそれが現れている。

第二次大戦後の日本はアメリカの忠実な家来として存続してきたが、まずはグローバル化に走りすぎず、中立性を保ち、ヴォルテール流の相対主義の理念を大切にしていかねばならない。何事にも偏りすぎないこと、これが大事である。

（参考文献）
ヴォルテール『哲学書簡』林達夫訳、岩波文庫、一九八〇年

ルソーの自然

子どもたちが幼稚園で習う歌に「むすんでひらいて」がある。この歌の作曲者が一八世紀の啓蒙思想家ジャン＝ジャック・ルソーだと知っている人は少ない。あの社会契約論の発案者が、どうしてこんな歌をつくったのか。

彼が教育論者だったと知れば、納得がいく話だ。彼の書いた『エミール』は、どのように子を育てるのがいいかを論じたものだ。ルソー曰く、「子どもは自然に育てよ。子どもの持っている自然を壊さないように育てよ」である。

彼の教育論は現在でも生きている。日本にもルソー主義者がいて、その理念に沿って子を育てようとして保育園や幼稚園を経営している人がいると聞く。しかしそれへの反論もあって、幼児教育は子どもに社会性を持たせるためにあるのであって、ルソーの考え方だと社会化のプロセスがないがしろにされる、と批判する向きもある。

ルソーの教育論に対しては、もっと厳しい批判もある。ルソーは正式な結婚はしていなかったが子どもが何人かいた。しかし彼はそれらの子をろくに育ててもいない。そんな奴の教育論なんかあてになるものかというものである。「子どもを自然に育てよ」とは、子どもをほったらかしにしておけということなのか。とんでもない空想的教育論だ、というわけだ。

ルソーは自然状態を賛美する人間であった。すべて自然状態はよく、その反対である文明は悪と見たのだ。彼によれば、社会は人間の自由を制約する。人間の持つ自然を抑圧する。その抑圧は文明が進めば進むほどひどくなるというのだ。

これを言い換えれば、原始人は文明人よりはるかに自然状態に近かったから、調和のとれた人生をおくって幸せだったということだ。だが、本当にそうだったのか。私たちのみる限り、原始人が現代人より幸福であった保証はどこにもない。原始人には現代人のあずかり知らない不幸があり、ある点では私たちより幸福であったかもしれないが、別の点では不幸だったと見る方が妥当なように思える。

そもそもルソーは自然状態を最善としているが、これも妥当かどうか。動物の世界を見てもそれぞれが己の陣地を守ることに執着し、それを少しでも乱されればすぐにも相手を攻撃するのが性である。人間も動物であるからこの攻撃性を持っており、それは子どもどうしの関係を見ても明らかである。いじめは人間のもつ動物性の端的な表れだ。

教育とは、人間のもつ暴力性をある程度まで制御できるようにすることであるはずだ。ルソーは人間がもつこの負の部分を看過していたのではないか。

言い換えれば、彼は楽観的な性善論者だったということで、そこに彼の思想の限界があったと思える。同じことは小宮彰がその類似を指摘したルソーの同時代人の安藤昌益にも言えることで、昌益もまた文明を呪詛し、自然を賛美したのである。

しかし、そうはいってもルソーの現代社会への影響は大きい。彼の掲げた政治理念は私たちの憲法にも謳われているもので、それは国民主権とか基本的人権とかの言葉で表されている。国民主権をルソーの文脈でいえば、人間はおのおのの自然を守るためには政治に参加しなくてはならないということで、そうしなければ、権力者の好き勝手な政治の犠牲になり、簡単に自分たちのもつ自然が強奪されてしまうのだ。

一方の基本的人権は、これもルソーの文脈でいえば人間が生まれながらにもつ権利、すなわち自然権ということになる。これを踏みにじられたら人間は人間でなくなる、と彼は見た。ところが、人間は知恵がつくと、他の人の自然権を踏みにじろうとする。そこで法律をつくって、自然権を保護しなくてはならないのである。

ルソーの考えた民主主義は直接民主制である。私たちひとりひとりが直接に政治に参加する制度だ。しかし、諸々の理由でそれが不可能となれば代議制となる。その場合、議員を選ぶ権利は私たちにあり、選ぶということは代議士に自分の意思を託すことを意味するというのである。

この考え方は、少なくとも理念上は今日の日本でも実現されている。しかし、選挙人である私たちの意思が代議士にほんとうに反映されるのか、そこが疑問だ。ルソーの言ったことは理想に過ぎず、現実とはかけ離れているように見える。

ルソーは社会的不平等をも糾弾した人として知られる。平等社会を理想としたのである。これまた絵に描いた餅という感じがする。人間には個人差があり、その個人差が優劣差に換算されるのが日常だからだ。

ルソーの掲げた理念はどれも素晴らしいものに思え、それをもとにフランス革命となり、アメリカ革命となり、マルクス主義革命となった。だが、それらの革命がほんとうに人間を幸福にしたかというと、そこはわからない。

人間社会が不完全なのは真実だが、それを完全にしようという試みはその実現のために大きな犠牲をともなう。とすれば、なんのための革命なのかと問わねばなるまい。ルソーの思想は魅力的かも知れないが、彼の言を鵜呑みにするのは危険である。

〈参考文献〉
ジャン＝ジャック・ルソー『人間不平等起原論』本田喜代治・平岡昇訳、岩波文庫、一九七二年
ジャン＝ジャック・ルソー『エミール』永見文雄訳、角川選書、二〇二一年
小宮彰『ディドロとルソー　言語と《時》』思文閣出版、二〇〇九年

ヘーゲルは乗り越えられるか

現代世界に最も影響を与えている西洋の哲学者は？　と問われたら、ヘーゲルと答えたい。「ヘーゲルなんて、今さら」そう言われるのを覚悟で言う。

ヘーゲルの影響といっても、彼の難解な著書が読まれているわけではない。私など何度挑戦しても、こりゃあかんと諦めてしまう。しかし、彼の言わんとしたことが、なんと世界で実現されている。どういうことか？

ヘーゲルは同時代の動き、あるいは近未来の動きを敏感に捉えた哲学者であった。彼

のいう弁証法は何ごとにもピタリと当てはまる万能薬の観を呈し、世界史は彼の言った通りに展開しているように見えてしまうのである。

彼の弁証法はよく言われるように「正反合(せいはんごう)」、すなわちまず一つの立場があり、次にそれに反対する立場が生まれ、この両者が対立して矛盾が生じるとその矛盾を解消するために新たな展開として両者の統合がなされる、というものである。

これを世界史に応用すると、まずは原始的な共同体がある。ところがこれに対抗する別の共同体が現れ、そこから対立関係が生まれる。そうなると矛盾が生じ、これを解消すべく両者は争う。その結果、どちらかが勝ち、二つが統合されて一つになり、かくして矛盾はなくなり、原始共同体から文明への道がひらけるというわけだ。

このダイナミックな文明史観は多くの事象を説明する。先に万能薬の観を呈するといったが、そういう感じを与えるのである。しかしながら、よくよく考えてみると、必ずしもそれにそぐわない場合がある。その一例が夫婦関係だ。

夫婦というものは、基本は男と女の関係だ。同性婚という場合もあるが、その場合でも異性婚がモデルになっているようで、一人が男役、もう一人が女役だという。問題はこの二人が一緒になるとして、それが矛盾を必然的に生むかどうかだ。

夫婦に対立はあろう。異質なものどうしが一つになることなどあり得ない。これを無理に一つにしようとすれば、確かに矛盾が生じる。しかし、初めから一つになろうとせず、共存し、助け合い、補い合うという関係も可能なはずである。そうなると矛盾は必ずしも生じず、ヘーゲルの弁証法は夫婦関係には当てはまらないことになるのである。

もう一つの例は、これは人類学者のレヴィ＝ストロースが指摘していることだが、たとえばアメリカ先住民のある部族が川の近くに居住している。そこへ水を求めてもう一つの部族がやってくる。ヘーゲルの弁証法ならこの二つの部族は川の利権のために争い、その一方が勝つことで二つの部族の統合がなされる。ところが、実際にはそうならないケースが多々あるのだ。

この場合、二つの部族の共存が難しいことは確かだ。水の利用量に限度があるから、利用する側の人数が増えれば水は足りなくなる。レヴィ＝ストロースによれば、アメリカ先住民はこのような場合、各部族の人数を減らす工夫をし、両者が共存できるようにするという。具体的には、各部族の老人に死んでもらうのだ。こうして水を利用する人数は以前と変わらず、両部族は共存して川の水を享受できるようになるのである。

ヘーゲルの問題点は明らかであろう。彼の弁証法は矛盾から統合へと向かってしまうために、矛盾したまま共存するという可能性を見落としてしまうのだ。矛盾したままの共存、これこそは現代世界が模索すべきものではないかと思われる。

　そもそも矛盾という言葉がくせものである。矛盾は「統一」という概念が先にあるから出てくる言葉なのだ。ヘーゲルは矛盾にこだわったが、それは彼が最初から統一を前提としていたからだ。そこに彼の弁証法の最大の難点がある。

　しかし、現代世界はヘーゲル式に進んでおり、その最たるものがグローバル化である。グローバル化は地球規模で物事を考えようとしているかに見えるが、そうではなくて、一つのシステムによる他の多くのシステムの破壊、吸収、それによる力の増大という動きである。そこでは対立や矛盾は容易に乗り越えられ、すべてが一つになろうとする。というより、すべてを一つにしようとする。これは便利には違いないが、それは勝者にとってだけで、グローバル化の犠牲になる側からすれば世界の終わりである。

　グローバル化の問題点は、延々と繰り返される復讐劇を生み出してしまうことにある。あるシステムが世界を制覇すると、それによってつぶされたシステムの残党が復讐を試みる。それが成功すれば、今度は別の復讐劇がはじまる。終わりがない。

　こう考えると、中国古来の陰陽二元論のほうがマシなように思えてくる。陰は陽を含有し、陽は陰を含有し、最初から内部に矛盾を抱えている。しかし、その内部矛盾があればこそ陰と陽は両立し、補い合うことができるのである。
毛沢東はヘーゲルを取り入れて「矛盾論」を書いたが、長い歴史を持つ中国のことだ、いずれはヘーゲルを吐き出し、毛沢東をも吐き出すのではないだろうか。

（参考文献）
『ヘーゲル・セレクション』廣松渉・加藤尚武編訳、平凡社、二〇二〇年
クロード・レヴィ＝ストロース『野生の思考』大橋保夫訳、みすず書房、一九七六年
毛沢東『実践論・矛盾論』松村一人・竹内実訳、岩波文庫、一九五七年

第4章 ファラデイからローレンツまで　科学の哲学

現代文明は科学の文明である。誰がなんと言おうと、科学が世界を動かしている。とはいえ、そこでの科学は技術と不可分だ。ということは、技術を理解するには科学を知ることが必要なのだ。そういうわけで、この章では科学について考える。

哲学なき時代

地球は大きな磁石である。電磁場といわれる大きな場ができていて、それが地球を地球外有害物質から守っている。では、その電磁場はどのようにして形成されたのか。その理屈を発見したのがエルサッサーである。

このエルサッサー、もともとは原子核の構造を研究していたが、理論物理学の行く末を案じたあげく地球物理学に転じ、最後は生物学者になったという逸物である。彼を動かしつづけたのは、「科学は哲学でなくてはならない」という信念であった。その「哲学」が「科学」から消えたと彼は言う。「ヒロシマのキノコ雲の中に消えた」と。

では、そういう彼が心に描いていた哲学とは何だったのか。科学者が自らの方法を吟味し、自分の研究の歴史的な意味づけを怠らないこと、それが彼にとっての哲学だった。自分と同世代の原子核の研究者たちが、原子核の分裂による高エネルギーの放射を爆弾づくりに応用したことは、彼にとっては科学者の哲学の放棄を意味したのである。

なんとなれば、彼ら原爆製造者たちは原子核分裂の理屈はわかっても、その哲学的な意味づけには興味がなかった。彼らは、言ってみれば政治権力の要請に従う公僕になってしまったのだ。これで科学者といえるのか？　というのがエルサッサーの疑問であった。

この疑問は今日の科学にも当てはまる。原子核の分裂と融合による高エネルギーは、今日も実用目的で利用されている。原子力発電は核分裂の力で成り立つのだから、原子爆弾と似た原理が応用されているのである。

そもそも核分裂とか核融合とはどういうことか。物質の根源にある原子の核が分裂あるいは融合するというのだから、これは地殻変動にも匹敵する大事件である。そのことの意味を問わず、専門家と政治家と大企業はそこから生まれる莫大なエネルギーにのみ興味を持つ。なんとなれば、それが権力になり、金になるからだ。

エルサッサーに戻れば、彼は科学の発見はつねに時代社会の傾向を反映していると見ていた。すなわち、いくらすごい発見でも、社会がそれを求めていないときは「発見」とは見なされず、むしろ無視される一方、たいした発見でなくとも、それが社会の歓迎するものであれば脚光を浴び、やがてトレンドともなると見たのだ。これは科学史家クーンが「パラダイム」という語で説明したことと重なるもので、科学プロパーの人間がそのような見解を示したことはきわめて異例である。

そういうエルサッサーは、人生の後半にはコンピューターが登場したので、これを一台入手している。しかし、その使い方がよく分からず、原理を調べてみてわかったのは、コンピューターが基本的に人間の脳と同じようにはたらいているということだった。そこから彼は新たな探究に乗り出す。すなわち、人間の脳とコンピューターではどこが同じで、どこがちがうのか、その見極めに乗り出したのだ。

コンピューター、すなわち電子計算機と人間の脳はどこが異なるのか。彼のこの探究は、「初めは神童、あとは凡人」と自称したウィーナーのサイバネティックス理論につながるものだ。ウィーナーと特別親しかったわけではないが、二人には共通の関心があった。

サイバネティックスとは、機械と生物に共通するシステムのことである。これが機能するには、自動調整装置とフィードバック機能が必要であることをウィーナーは明らかにした。エルサッサーは生物と機械がこの点で一致することを確認した上で、生物にあって機械にないものは何かを追究した。

彼が突きとめたのは、生物はコンピューターより自動調整もフィードバックも精度が高いということが一つ。生物のほうが全体の運用に要するエネルギーがはるかに少なくて済むということが二つ。そしてなにより、生物には複雑な要素の結合した再生、すなわち増殖が可能であるのに、コンピューターにそれはできないということが三つである。

これらをはっきりさせたことは貴重だが、生物にはコンピューターがはるかに及ばない特質があることぐらい、私たちの直観でもわかることである。

しかし、彼に言わせれば、その直観を科学的に立証して見せることが大事なのである。一般人である私たちとちがって、科学者は何ごとも合理的に説明し、また実験的な証明を必要とするものであり、それによって確実な知識が増す。直観はそれを共有できない人を説得することはできない。科学にはそれができるというわけだ。

ところで、現代は人工知能の時代である。エルサッサーなら、人工知能も生物の多様性と複雑さには及ばないと言ったにちがいない。では、それなら人工知能、恐れるに足らずといえるか？

そうともいえない。人知の方が人工知能の水準に落ちる可能性がないとは言えないし、巨大な利益を求める人々は、人知のレベルを引き下げることで人工知能を売り込むチャンスを増やそうとするからだ。人類は大きな岐路に立たされている。人類をつづけるか、やめるか、その岐路に立たされている。

（参考文献）
ノーバート・ウィーナー『サイバネティックス　動物と機械における制御と通信』池原止戈夫ほか訳、岩波文庫、二〇一一年
残念ながら、エルサッサーの回想録は邦訳されていない。原典は Walter Elsasser: *Memoirs of a Physicist in the Atomic Age*, Science History Publications, 1978。

ホモ・サピエンスとは

人類はホモ・サピエンス（＝知のある人）と呼ばれる。他の動物とちがうのは知力によるという意味である。なるほど動物は言語を持たず、環境を変えようともしない。

この「知のある」を「科学する」と言い換えてもよい。感情表現のできる動物はいるし、犬などは人が悲しんでいるとそれを察知する能力もある。だが科学となると、人類以外の動物には難しい。動物学者が蟻にも数学ができると証明するときが来るまでは、ホモ・サピエンスという名は有効だろう。

だが、「科学する」といっても、科学をリードしているのは欧米であり、たとえ日本やインドから科学者が輩出されても、彼らが一流の科学者として認められるにはヨーロッパかアメリカで認められる必要がある。科学の中心はつねに欧米、その他の地域ではない。となると、同じホモ・サピエンスにも序列があり、欧米がその最上層に位置することになる。

科学の大元は古代のギリシャにあり、それが一七世紀のヨーロッパで革新されて今に至った。科学の中心は物理学で、ガリレオとニュートンがその革新者。その後マクスウェルやアインシュタインに至るまで、すべて欧米を中心に展開してきた。

日本人がこれに参加し始めたのは一九世紀も後半になってからで、国際的に知られるようになるには西洋科学をマスターしなくてはならなかった。現在でも世界中の科学者が英語で論文を書き、西洋で生まれた数式を用いて自分の考えを表している。これ以外に道はない。

こういう歴史的事実があるのだから、これを受け入れるほかあるまいと思えるが、これに異議を唱える人もいる。人類学者のレヴィ＝ストロースがその一人で、彼は人類の科学をもっと広い視点から見ることを提案し、その観点から西洋の科学を相対化する。それによれば、人類はホモ・サピエンスの名にふさわしく太古から科学しているのであって、西洋科学だけが科学ではない。

そもそも科学とは何かというに、自然界を知的に理解し、その理解をさまざまな実験によって一定の法則性に結実させようとする試みをいう。レヴィ＝ストロースの専門である「未開社会」の場合、たとえば植物を細かく分類し、どれが食用に適し、どれが適さないかを長年の実験を通じて明らかにし、同時にまた植物の世界を体系化し、それを神話の形で定着させているのだが、一見非科学的に見える彼らの知的財産をも、彼は迷わず科学と呼んでいる。

彼にすれば、近代の科学者が数式で表すところを「未開人」は神話で表しているというちがいがあるだけで、数式が一種の神話でないとは誰にも断言できない。彼が私たちに求めているのは視点の逆転であり、これによって西洋中心の世界像がひっくり返るのである。

中国古来の科学を膨大な資料に基づいて明らかにしたニーダムも、その点では忘れられない。中国文明には宇宙の理解と人間社会の理解を同じ観点から説明しようとする別種の科学的伝統がある、と彼は力説する。

彼にすれば、西洋科学には人間社会への関心がなく、物質世界の説明としてはすぐれていても、決定的に倫理的な観点が欠けている。一方の中国科学は倫理的観点抜きに発展することはなかったというのだ。

果たして、ニーダムが言うように、中国科学が倫理的なのかどうかはわからない。中国の知性が治世を重んじ、自然についての理解をそれから切り離さなかったことは確かだが、その自然理解の仕方には人間中心主義が貫かれており、「未開の科学」の神話が示す自然の一部としての人間という理解は見出されない。倫理に自然は関係ないと言われればそれまでだが、倫理の基礎も本来は自然に基づくのだとすれば、「未開社会」の神話の方がいっそう倫理的だと言わざるを得ない。

だが、そうだからといって、「未開」状態に戻りましょうと言いたいのではない。そんなことは不可能である。求められるのは、科学の力で私たち人間が地球の中心ではないこと、生物界の長ではないこと、むしろ大自然の一部に過ぎないことを示すことである。

私たちの日常生活に古来の科学を蘇らせねばならない。たとえば、私たちが身近に知る漢方医学。この医学は幾多の実験を経て出来上がった理論を持ち、その土台には宇宙の原理と人体の原理を同時に説明する超論理が存在する。漢方医学を科学として認めることは、正当であるどころか必須なのである。

ただし、その根底にある超論理すなわち形而上学がどこまで真なのか、それがいまだに検証されていない。人間への関心が自然への関心と同程度に存在していることから、西洋医学よりもバランスのよい世界観を提示しているように見えはするのだが、西洋医学だって、その根底にヒポクラテス流の倫理が控えている。要は、この二つを共存させ、そのどちらも同程度に利用できるシステムを構築することであろう。

（参考文献）
スティーヴン・ワインバーグ『科学の発見』赤根洋子訳、文藝春秋、二〇一六年
クロード・レヴィ＝ストロース『野生の思考』大橋保夫訳、みすず書房、一九七六年
ジョゼフ・ニーダム『ニーダム・コレクション』牛山輝代ほか訳、ちくま学芸文庫、二〇〇九年

ファラデイとマクスウェル

先日、某社の工場長に会いに行った。かつて大学で教壇に立ったこともある人で、知識も豊富、何より好奇心の塊である。

会うといきなり、こんなことを言う。「うちの工場はときどき国内の大学の先生とか呼ぶんですけど、理系の先生には失望しています。自分の専門以外のことを知らないし、関心もない。専門バカを通り越して、ゾンビみたいです」

じゃあ文系の先生はよいのかというと、「世間話をするにはいいですが、こちらを啓

発してくれるような人は稀ですね」という。釘を刺された気がしたが、今さら引き返せない。

工場長室はやたらに広い部屋で、壁に沿って大きな書架が三つも並んでいた。ちょっとした図書室である。本が綱目ごとに並んでいて、たいしたものだ。

「こんな工場にも、本好きがいましてね、時々本を借りにくるんですよ。そういう者には、まあ座れ、少し話をしようじゃないかと言うんですが、なかなかその勇気がないようで、こちらとしては物足りない」

書架に並ぶ本のなかに英語の評伝シリーズのようなものがあった。全部で二〇巻はあったと思う。その中にマイケル・ファラデイと題したものがあったので、それを手にとってみた。日本では『ロウソクの科学』で知られるファラデイである。小学校しか行かなかったのに物理学の大発見をしたということで、英国版二宮尊徳と思っている人もいる。

ところが工場長、私がその本を手にするなり、「ファラデイといえば電磁場理論。それをマクスウェルが数式化したわけですが、このマクスウェルがファラデイのことをどう評価したか、知ってます?」といきなり聞いてくる。

こちらは物理学など知らないから即答を避けると、「これが面白いんですよ、実に……」と本人は楽しそう。そこからは、工場長の科学談義となった。

「マクスウェルはいわゆる科学者でね、つまり数学が得意なんです。ところがファラデイは小学校しか行ってないから、高等数学なんてまったくわからない。でも、逆に発想は自由で豊かだし、マクスウェルはそこに感動したんですね。それで、ファラデイが考えたことを数学的に表現したらどうなるだろうと必死に考えた。その結果がマクスウェルの方程式ってやつです」

この人、とんでもない知識人だ。作業服を着ているからそう見えないが、実は工学博士である。だが、彼の熱弁を聞いているだけでは失礼と思ったので、こちらからも質問してみた。「数学ができないと発想が豊かになるんでしょうかね？」

拙劣な質問だったが、彼はすぐに答えた。「必ずしもそうとは限らない。問題は図形ですよね。ファラデイは図形で考えたんです。イメージでね。マクスウェルは代数です。代数にイメージは必要ない。数式にしてしまうと計算が楽で、答えも正確ですし、応用範囲も広い。でも、ファラデイのような想像力はマクスウェルにはなかったんです」

「ははあ、なるほど。そういえば」と私は知人の息子がアメリカの高校に留学した話を思い出した。「アメリカの高校では幾何学コースと代数コースがあると聞きました。どちらに進むかは、生徒の資質によるんだそうです」

工場長は顔色ひとつ変えずに言い放つ。「それはいい学校の場合でしょう。そんな配慮をしていない学校のほうが圧倒的に多いと思いますよ、いくらアメリカでも」

工場長室での会談はあまりにも楽しく、あっという間に二時間が過ぎた。充実した思いで家に帰り、さっそくマクスウェルとファラデイについて調べてみた。そして、マクスウェルがファラデイについて次のように言っているのを見つけた。

「ファラデイは最初に全体を見てしまう。その全体から細部へと目を向ける。数学に慣れている人はその逆で、最初に細部を考察し、それを集めて全体を作り上げる」

マクスウェル自身は数学に慣れていたので、もちろん後者である。彼は数学ぬきで物理学をするファラデイに魅せられたのだ。森を見て、そこから個々の木を見るファラデイ。個々の木を見て、そこから森を考えるマクスウェル。同じ科学でも正反対なのだ。

つまり、数学を基礎に置く科学者と、直観で世界を理解しようとする科学者。前者はただの科学者だが、後者は自然哲学者なのである。「自然哲学」という言葉は日本では聞き慣れないようで、これを科学と結びつける人は少ない。明治以降、日本人は西洋の科学を吸収してきたといっても、その根底にある哲学ぬきでやってきたのだ。

例外はある。寺田寅彦がそうである。彼は自然を科学的に理解することで哲学をしていた。欧米に追いつこうという最短コースをとらず、技術としての科学を受容するかわりに、思想としての科学を受容したのだ。

日本の科学に問題があるとすれば、科学者の多くが寺田とちがって科学を哲学せず、実用に役立てることにのみ専心してきたことにある。科学に限らない、外国から思想なり芸術なりを受容するとき、その母体となっている考えをつかむ必要があるが、その面倒を省こうという魂胆でやってきた。これでは上すべり文化しか生まれなくて当然である。

（参考文献）
マイケル・ファラデー『ロウソクの科学』竹内敬人訳、岩波文庫、二〇一〇年
小山慶太『光と電磁気　ファラデーとマクスウェルが考えたこと　電場とは何か？磁場とは何か？』講談社ブルーバックス、二〇一六年
『寺田寅彦随筆集』小宮豊隆編、岩波文庫、一九六三年

寺田寅彦を読もう

現代文明は科学文明である。もっと正確にいえば、技術化した科学の文明である。技術化した科学は、実用に役立つことしか望まない。つまり、金もうけにならない科学、国家を強力にしない科学は無視されるのである。

そういう時代にあっては、科学と他の分野とをつなぐものがない。まして、文学との連携などない。文学は文学で、科学とは無関係だと意地を張っている。

このような事態は乗り越えられねばならない。そこで目を向けたくなるのが、たとえば宮沢賢治である。賢治といえば、童話『銀河鉄道の夜』の作者。彼の書いたすべてに、科学と文学の融合が見られる。

彼の詩文にはなるほど科学用語が多く、本人も科学と芸術と宗教の一致を目指すと言っている。だが、彼は科学の向こうに宗教を求める神秘思想家であって、真の科学者とはいえない。その点では、科学者で文学と科学を股にかけた寺田寅彦のほうが現代人には合っている。寅彦の随筆は多くの人に読まれてきたが、今こそ真剣に読み返されなければならない。

彼の随筆は中身が濃いので、じっくり考えながら読む必要がある。ひとつひとつは長くないし、電子版もあるので、スマホでも読める。毎日の哲学を望む人には最適の読み物だ。

そう、彼の科学には哲学がある。その意味で彼は正統派である。彼はいう。「宗教も、芸術も、一度科学の濾過を通さなければ、これからはダメだ」と。「科学的に納得のいかない宗教は信ずるに値しない。芸術もただ有り難がっていてはダメで、これも科学的分析に耐えるものでなくてはならない」

「そんなバカな。科学にそこまで出しゃばらせるのか」といきり立つ人もあるだろうが、そんな人でも自分の命を医者に預けていることを忘れてはならない。医学は立派な科学なのである。科学は私たちの生の隅々にまで入り込んでいる。

多くの人は「芸術は科学の及ばない世界だ」と思っている。「宗教は信仰が大切なのであって、それが私たちを救う」という人もあろう。しかし、寅彦は遅かれ早かれそれでは通用しない時代がやって来ると見た。

科学の世界では、朝生まれた理論が夕方には虚偽だと判明するかも知れない。科学は出来上がったものではなく、つねに生成中なのだ。今後、どういう結論が出てくるか、科学者にもわからない。したがって、科学と宗教が対立するとか、科学と芸術は別物だとか、そうした議論をしていても意味がない。

寅彦は文学と科学を股にかけた人だと言ったが、それは彼がたくさんの随筆を書いたからではない。彼が俳諧連句の実践者だったからである。数人の仲間と展開する連句の世界は、彼にとって心のオアシスだった。彼は俳諧連句に科学と同じほどの情熱を傾けていた。

連句は俳句とちがって数人で次から次へ句を並べ、みなで詩の創造を楽しむ。前の句との連続性だけでなく、非連続性も必要とする高度な文芸ゲームである。俳句は一人でつくり、それで満足する世界だが、連句はつねに他者に開かれ、その結果は共有される。寅彦はそこに文芸のエッセンスを見た。

彼の随筆には俳諧論もあり、それを読むと彼がどのように連句を見ていたかがわかる。それによれば、連句の世界はフロイトの自由連想法に似て、人間の無意識を覚醒させるものなのだ。しかも、フロイトのとはちがって、複数の人間の無意識が絡み合って展開される、より複雑な世界である。連句がうまく行くとは、複数の無意識の連合から共同の美意識が生まれることを意味するのである。

しかし、いくらそういう彼でも、俳諧は日本的な自然理解の仕方であり、それは西洋科学に匹敵するとまで言うとは驚きである。「えっ？　俳諧と科学が同格？　これ、どういうこと？」と誰しも思わざるを得ない。

寅彦によれば、俳諧は和歌の原理を展開したもので、和歌は自然現象をいくつかの観点から分類し、それを詩歌の形式に整えたものである。一方の科学は、同じ自然現象を別の観点から分類し、それを数式の形式で整えたものとなる。観点は異なるが、両者とも自然現象を分類して理解する点で一致する、というのだ。

この考えを突き詰めれば、俳諧も科学も究極は同じということになる。二つとも自然理解の方法であり、どちらが優っているともいえないのだ。そうなると、寅彦のようにこの両方をマスターした人間は、単なる文学者よりも、単なる科学者よりも、一段上に立つことになる。

今日、このような高みに到達できる人間が何人いるだろう。世界中探しても、そう多くはないはずだ。だが、彼のような科学者にして文学者であるような人間が今ほど必要な時はない。忙しくても、彼の随筆を一つ読むのに一五分しかかからない。読んでしまえば頭に残るから、そのあとで考えればよい。ぜひともひとつ、読んでください。


（参考文献）

寺田寅彦の随筆はそのほとんどがウェブサイト青空文庫で読める。紙媒体の書としては『寺田寅彦随筆集』（小宮豊隆編、岩波文庫、一九六三年）などがある。

大嶋仁『科学と詩の架橋』石風社、二〇二二年

科学哲学者カール・ポパー

初めてカール・ポパーの名前を聞いたのは大学生の時だ。広い教室に受講者はわずか。若い先生が熱心にこの革新的な哲学者について語っていた。

その頃、ポパーはまだ日本では知られていなかった。翻訳書も出ていたかどうか。先生の声が「反証可能性」「アドホック」などの言葉を繰り返していた。その時はピンと来なかったが、今になってなるほどと思う。

大学の講義とはそんなものだ。興味が湧かないでいる場合でも、無意識のほうが反応

して、大事そうな言葉を記憶の貯蔵庫にしまい込む。そして必要な時が来ると、鮮明なイメージとともに蘇る。

アドホックといえば、そういう名のカフェがあった。場所は覚えていないが、妙な名前のカフェだと思ったものだ。店主はこの言葉の意味がわかっていただろうか。

アドホックは「その場しのぎ」のことだ。「コーヒーを喉に流し込みたい」ととりあえず入ってみるカフェがアドホック？　だが、そんなことは店主にはどうでもよく、音の響きが気に入っただけなのだろう。

「その場しのぎ」といえば、政治家の発言にはそれしかない。これでは国民がそっぽを向くのも無理はない。しかしもっと深刻なのは、それを追及しようとしないメディアだ。メディアはその場しのぎであってはならない。

振り返ってみると、戦前のメディアにはそれなりに力があったのではないか。戦時は言論統制が厳しかったというが、統制が必要なほどに言論が自由活発だったということではないのか。今のメディアは統制しなくても統制されている。それほどに、エネルギーがない。

エネルギーがないとは、秩序崩壊が進んでいるということである。とはいえ、既存の秩序が崩れていくとき、必ず新たに何かが生まれつつあると考えることもできる。賢明な指導者なら、その動きを察知してそこから新秩序を育てあげようとするだろう。それができる人がいないのが今の日本である。

秩序崩壊を見とどけるのは容易だが、どのような再構築がどこでなされているのかを見分けるのは難しい。だからこそ、それを専門とする社会学者が必要だ。ところが、自然科学や人文学と比べ、社会科学は進んでいない。かつて、中国史の先生が言っていた。「東アジアで最も遅れているのは社会科学なんです」と。

ポパーに話を戻そう。彼が強調した「反証可能性」という概念は、万人が心に銘記すべきものである。二〇世紀で最も重要な概念といえるかも知れない。

彼がいうには、科学は反証される可能性を残していなくては科学ではない。地球が太陽の周りを回っているというのは永遠の真理ではなく、今のところ正しいとされているだけのもので、いつかそれが反証される可能性があるからこそ、これを科学と呼ぶことができるというのである。

これを初めて耳にした時、なんでそんなことを言うのかと思ったが、今になってこれはすごい発見だったと思う。多くの人にとって科学とは真実として出来上がっているものなのに、ポパーは科学で重要なのは真実ではなく、真実と思われていることを虚偽として証明する可能性をもつことだと言っているのである。

「反証可能性」という概念は開かれた態度を導く。科学は開かれた態度でなくてはできないという思想がその背後にあるのだ。このことは、彼が必死になって擁護しようとした自由主義の理念と通じる。彼にとって、自由主義は満場一致の正反対であって、ある提案に対して反対意見が次から次へと出されることで保障されるものなのである。

たとえば町内会というものがある。日本中どこにもあるだろう。町内の住民が集まる会合である。ところが、たいていの町内会では議案が提出されても誰もこれに異議を唱えない。これでは会合を開く意味はない。しかし、異議を唱えないことが慣行になっているのだ。そういうわけで、会合は満場一致の拍手喝采で終わる。自称民主主義の基礎がこれであるとすれば、ポパーの出る幕はない。

それにしても、ポパーはどのようにして「反証可能性」なる概念を思いついたのか。彼がウィーン生まれのユダヤ人であったことと関係するだろう。ヒトラー率いるナチスが勢力を増していくのを見て、彼はニュージーランドへ逃れた。

彼が恐れたのはなにより全体主義だった。団結を重んじ、反対意見を削除し、異分子を排除するシステムがドイツを支配し、その結果、ユダヤ人排斥となった。彼はそのようなシステムだけは許してはいけないと思ったのだ。それが彼の基本理念である「反証可能性」と「開かれた社会」になったと思われる。

ポパーは科学哲学者として有名だが、会社経営に関心のある人ならドラッカーを知るべきだ。現代経営学の祖である。彼もポパーと同じくウィーン出身のユダヤ人。全体主義を嫌悪した点で二人は共通する。分野はちがえど、基本的価値観は同じだ。

ポパーの本が難しいという人には、ドラッカーの本をお薦めする。日本で四〇〇万部も売れた本の著者だから、知っている人も多いだろう。

（参考文献）
野家啓一『科学哲学への招待』ちくま学芸文庫、二〇一五年
小河原誠『ポパー　批判的合理主義』講談社、一九九七年
P・F・ドラッカー『［エッセンシャル版］マネジメント　基本と原則』上田惇生編訳、ダイヤモンド社、二〇〇一年

科学は自然を模倣する?

「自然は芸術を模倣する」は妄言である。これを言ったのがオスカー・ワイルドだというなら、彼の言葉はワイルドどころではない。世を驚かせたいがための、自らの立場宣言をするためのキャッチ・フレーズだったにちがいない。としても、これがひとり歩きすると、危険な妄想を生む。

本末転倒とは、まさにこのこと。私たちのなかで自然でないものはなく、人類は自然の一部として機能している。芸術が自然を模倣することはあっても、逆はあり得ない。シェイクスピアの『冬物語』だったか、ある登場人物がこう言った。「私が詩を書いたりするのも、自然のなせる業なんですかね?」すると、もう一人がこう言う。「無論よ。この世界は、木も鳥も神様がお造りになった。お前さんがやっているすべてが神様のなせる業なのよ」

芝居の中では重要性を持たないこんな細部でも、天才は手を抜かずにさまざまな哲学を忍び込ませる。

それはさておき、二〇世紀も前半のこと、オランダにローレンツという物理学者がいた。アインシュタインに影響を与えたほどの人だが、晩年になって電子について公衆の面前で語ったという。それをたまたま聴いていたドイツから来た青年が、これにいたく感動した。この青年は後に地球物理学者として画期的な仕事をしたエルサッサーという人物であった。

では、その彼はローレンツの何に感動したのか。数式などあまり気にせず、既成概念にとらわれず、電子を生き生きとしたイメージとして公衆に示し得たことに感動したのである。「ローレンツには自然に対する敬意がある。私は彼から科学とは自然を模倣すべきものだということを教わった」と言っている。

だいぶ前に、辻哲夫の『日本の科学思想』という本を読んだことがある。とてもいい本だと思ったが、中でも印象に残っているのは、江戸時代に人気のあった「からくり人形」についての論である。からくり人形とはゼンマイなどの簡単な機械仕掛けで動く人形のことで、動きがぎこちなく、なんとなくひょうきんなので当時人気があったようだ。

著者の辻によれば、この人形の背景にある自然観は、人形の動きをできるだけ自然に近づけようとするところに現れているという。つまり、機械が主人ではなく、自然があくまでも主人という考え方なのだ。芸術だけでなく、科学も自然を模倣すべきという思想につながるものがそこにはある。

辻の示したこの自然観は、西洋の機械論的自然観と対比されるものである。機械論的自然観とは一七世紀ヨーロッパに開花したもので、デカルトがその中心である。自然とは機械であり、その運動は自動機械と同じだというものだ。

デカルトによれば、自然界にあって人間だけが機械であることを免れている。他の動物はいずれも機械であり、定められた動きしかできないというのだ。「そんなバカな」と思う人もいるだろうが、デカルト的な考え方は根強く生き残っている。私たちがお世話になっている医学などにも、この機械論は生きているのだ。

先のローレンツと比較すると、デカルト式機械論には自然への畏敬の念がない。自然現象は、人間が利用するためにあるかのように扱われている。そういうわけだから、原子核が分裂するときに膨大なエネルギーを放射することがわかると、これを使えばきわめて効率の高い殺傷力をもつ兵器が作れると短絡する。その結果が広島であり、長崎であった。

以上要するに、デカルト式の機械論的自然観が諸悪の根源ということになるのだが、その機械論的自然観を支えるものが科学における代数計算への依存なのだと指摘したのが、宗教思想家として知られるシモーヌ・ヴェイユである。彼女にとって、代数は近代文明の三悪のひとつで、あとの二つは機械論的自然観と金銭崇拝だった。

「西洋人は自然を支配の対象としており、そこが東洋人とちがう」とはよく耳にすることである。デカルトが西洋を代表し、老子や荘子の「無為自然」を東洋の代表とすれば、まさにその通りである。しかし、もはやそういう言葉が通用する時代ではないことも言っておきたい。東洋は近代化を通じてデカルト式世界観を共有するようになっており、無反省にそれを応用している点では、西洋以上かも知れないのだ。現代の東洋は、もはや東洋の美質を自慢できる状況にはない。

戦時の日本は原爆を作らなかったかも知れないが、それはそこまで余裕がなかったからで、細菌兵器を作るために人体実験までおこなっている。そのことを忘れ、すべて西洋文明のせいにするのは下手な弁解にすぎない。

日本が近代化の過程で真っ先にアイヌの社会と文化を破壊したことを思い出したい。彼らアイヌの人々こそは自然に畏敬の念を抱き、人間ではなく自然を主体とする思想を維持していたのである。日本近代史最大の汚点のひとつは、人類の基層を保持するアイヌ文化を破壊したことにある。

（参考文献）
菅沼悠介『地磁気逆転と「チバニアン」』講談社ブルーバックス、二〇二〇年
広重徹『近代科学再考』朝日選書、一九七九年
辻哲夫『日本の科学思想　その自立への模索』中公新書、一九八九年
大嶋仁『科学と詩の架橋』石風社、二〇二二年
宮島利光『アイヌ民族と日本の歴史　先住民族の苦難・抵抗・復権』三一書房、一九九六年

数学に依拠する近代科学

小川洋子の『博士の愛した数式』は映画化もされているので、知っている人も多いだろう。ある出来事のせいで記憶が八〇分しか持続しない数学者と、そのお手伝いさんとの物語と言っておけばよいだろう。

この小説において、数学はよく解釈すれば現実を超えた美しい抽象世界。悪く解釈すれば、現実を受け入れられない人にぴったりの世界となっている。

そんな解釈はしろうと丸出しだと言われるかも知れないが、物理学者の中には、数学に依拠する物理学を疑い、物理学は物の理の探究であって、数の理とは別種だと考えている人もいる。数学は物理学のように物との触れ合いがないから、思考の表現ではあっても、それで事物を説明することはできない、というわけだ。

近代の科学が数学ぬきに考えられないことは事実である。ニュートンにしても、アインシュタインにしても、宇宙の法則を数式で表している。日本でも、数学に強い生徒は理系に進み、やがて科学技術に携わる。一方、数学に弱い生徒は文系に進み、科学技術とは縁遠い職業につく。数学と科学は密接に結びつき、数学が科学を発展させているのか、科学が数学を発展させているのか、わからなくなるほどだ。

そもそも、科学はどうしてそこまで数学に依拠するようになったのか。数学はどうしてそこまで科学技術に利用されるのか。古代ギリシャの有名なアルキメデスにしても、数学に強かったからこそ物理学にも秀でた。

多くの人は知らないが、そのアルキメデスは船を転覆させる大量殺戮兵器を考案している。数理の知恵が人類を危険に導くものだということの好例である。

船の転覆機は数学と物理学が結合した大量殺戮兵器である。その意味では現代の核兵器の先駆だ。原子爆弾の製造に参加した人たちは、いずれもが超一級の物理学者であり、数学が得意中の得意という人たちだった。

では、数学はかくも恐ろしいものなのか。数学者は「否」と言うだろう。彼らにとって、数学は思索の喜びと美しい形式を愛でる心から生まれるものだからである。彼らはそれが何に応用されるかは考えない。責任は数学者にはなく、数学の成果を実用に役立てようとする物理学者にあるというのだ。

近代科学の数学への過度の依存については、シモーヌ・ヴェイユが早くに糾弾している。彼女はその元凶をデカルトだと明言した。デカルトは幾何学を代数に置き換えるという荒わざをなし遂げたのだが、彼以降の科学者は物の理を追求するかわりに、自然現象を数式で表現することに専心するようになった。かくして科学は抽象化し、科学者自身、自分が何をやっているのか摑めなくなった。現代物理学の問題点は、まさにそこにある。

科学者はヴェイユのような人の近代科学批判にもっと真剣に耳を傾け、これに対する答えを用意すべきだ。ところが、おそらく科学者の大半はそういう批判を頭から馬鹿にしており、シモーヌ・ヴェイユは科学の何たるかがまったくわかっていなかったと言うのである。こうした態度は知識における特権意識から生まれるもので、そういう彼らに反省など期待できない。

どうしてそこまで尊大になれるのか。現代文明が科学に依存し、科学者が社会の中で特別な地位に置かれているからである。彼らの多くは、人間となる訓練を経ずして科学者となる。欧米の学校には飛び級というものがあるので、多くの生徒が高校に上がるころに、博士論文を書き始めている若年科学者もいるわけだ。

先に、数学に依拠する物理学を懐疑する物理学者も存在すると述べたが、そういう科学者は科学においては晩生で、高校時代に文学を愛好したり、心理学や哲学に興味を持ったりしている。自分が人間という不思議な生き物であるという自覚を持ち、科学というものが人間のどういう心理から生まれるのかといったことにも興味を持つのだ。

そういう人文的科学者の一人はこんなことを言っている。「物理学は規則的で予測可能な現象にのみ関心を持ち、解決しやすい問題にしか関心をもたない。近代に物理学が発展したということは、近代社会がそれを望んでいるからであり、そのことを科学者は自覚しなくてはならない。科学は本来、社会が要求する方向にのみ発達すべきではない」と。

このことを、近代科学が数学に依拠してきたことと関係づければ、近代社会は数学的な科学のみを重視し、それ以外の科学を無視してきたということになる。数学は「猫が3匹」の3にしか興味を持たず、猫を捨象する。物理学は5人の相撲取りの体重の合計も、1台の乗用車の重量も同じ重量であるとみなす。相撲取りも、車も捨象され、残るのは数字だけなのである。だから、数学に依存する科学は現実を捨象する。私たちの生きる現実は消え去る。そういう抽象的な科学を近代社会は望んできたのだ。

どうしてそうなったのか? 抽象化された科学は機械的計算で諸問題を解決するので、すべてが速く便利だからだ。何も考えなくても答えが出る。これは文明ならぬ非文明の世界である。私たちは間違いなくそういう世界にいる。

（参考文献）
小川洋子『博士の愛した数式』新潮文庫、二〇〇五年
高瀬正仁『岡潔　数学の詩人』岩波新書、二〇〇八年
佐々木力『数学史入門　微分積分学の成立』ちくま学芸文庫、二〇〇五年

アトミズムとは

アトムといえば「鉄腕アトム」。このロボット坊やは原子力で動く。アトムは原子のこと。坊やの名はアトム。原子爆弾で被災した唯一の国である日本が生み出した漫画なのに、アトム君は底抜けに明るく、しかも正義の味方だ。

作者の手塚治虫はこの漫画を通じて原子力はすばらしいと謳いたかったのか？　忌まわしい過去を忘れようとしたのか？　本人にそういう意図はなかったかも知れないが、結果的に見ればそうである。少なくとも、この漫画を楽しんだ日本の子どもたちは、アトム少年に希望を見出したにちがいない。

ところが、この漫画、動画もできてそれが海外に渡ると、英語版のタイトルが「アストロ・ボーイ」となっている。アストロは「天体」の意味であるから、鉄腕アトムが「星の王子」に変身したのだ。そうなると、もはや原子力の意味も原子の意味もなくなる。これは重大な変更、あるいは歪曲である。

一方、アトムは原子の意味を離れず、アトミズムとかアトミゼーションという派生語を生んでいる。アトミズムは「すべては原子でできている」という考え方を表し、これは科学の世界の常識となっている。有名な物理学者ファインマンは、人類の知的遺産として最大のものはなにかと自問し、それは原子の発見だろうと言っている。これに異議を唱える科学者は、今のところ少ないようだ。

「すべては原子でなく、量子なのでは？」と意見する人もあろうが、量子論はいまだにその理論が定着せず、一つの世界観になりきってはいないようだ。一方の原子論は決着済み。わたしたちは依然としてアトムの時代にいる。

私が初めてアトミゼーションという言葉を聞いたのは、今から二〇年前のことだ。あるドイツ人の教授がロシア論を展開し、「ロシア人は個人という概念を持っていない、まるでアジア人だ」と怒りを込めて言った。彼は個人主義が人類の基礎であるべきだと確信しており、その観点からロシアを非難したのである。

「ロシアはアトミゼーションが必要だ」と彼は言った。アトミゼーションとは原子化と訳される言葉で、個人主義化を意味する。これを言い換えれば、集団主義と共同体意識から脱却し、個々の人間が自分のために、自分で考えて生きるようになれ、ということだ。例のドイツの教授、ロシア社会はそうなるべきだと言いたかったのだ。

彼がそう主張する背景に、ナチズムの全体主義という忌まわしい過去を払拭したいという思いがあったことは間違いない。また、ドイツは必要以上に徹底的にソ連軍に蹂躙されたという戦争の記憶も、そこにはあったろう。しかし、集団主義と共同体意識をアジア的停滞と見なすその歴史観は、西欧中心主義を一歩も出ていないものだった。

アトミズムとアトミゼーションを西欧文明の病として糾弾した人に、ジャーナリストのケストラーがいる。『還元主義を超えて』といった本を出しているが、還元主義とは何ごともアトムに帰着させる科学の発想をいうのであり、これが原子爆弾を生み出し、世界を破滅に導いていると警告を発したのだ。

では、そういうケストラーは個人主義すなわち社会的アトミズムを嫌ったのかというと、そうでもない。ナチスの全体主義を恐れた彼は、全体主義よりは個人主義を選んだのだが、単なる個人主義には不満があったため、社会主義国であるソ連に行ったりもしている。ところがそのソ連は社会主義ではなく全体主義の国だとわかり、これに失望し、結局は社会主義と個人主義の間をさまよいつづけた。

ケストラーは「ホロン革命」と名づけた視点転換によって、自身の内部矛盾を乗り切ろうとした。ホロン革命とは、世界をひとつの全体として見る一方で、個々の部分の集合とも見るという複眼的視点を意味する。この二つの見方をバランスよく維持しないと、人類は全体主義の餌食になるか、個人主義の奴隷となるか、いずれかである。人類を滅ぼすこの両極端から逃れ、精神を開かれたものにしようと言ったのだ。

ケストラーのこの説は日本人には馴染み深いものがある。奈良時代に審祥が中国からもたらした華厳思想に「一即多・多即一」というのがあり、世界は一と思えば多、多と思えば一だという教えが古くからあるからだ。

また、江戸時代には哲人・三浦梅園が「反観合一」をいい、世界を対立的に見ればさまざまな要素が対立し合って複数のものと見えるし、統一的に見ればひとつの全体と見えると言っている。これなどもケストラーのホロンとつながるものだ。

では、ケストラーの理想はこの日本において実現されているのだろうか。そんなことは全くないというのも、日本人のほとんどは華厳思想も三浦梅園も知らないからである。日本の教育の大きな欠点は、日本とは何か、日本人とはどういう人々なのか、それを教えないところにある。これでは自信を持てる国になりようがない。

（参考文献）
大塚英志『アトムの命題　手塚治虫と戦後まんがの主題』角川文庫、二〇〇九年

リチャード・P・ファインマン『ご冗談でしょう、ファインマンさん』大貫昌子訳、岩波現代文庫、二〇〇〇年
板倉聖宣『原子論の歴史』仮説社、二〇〇四年
アーサー・ケストラー『還元主義を超えて　アルプバッハ・シンポジウム'68』池田善昭監訳、工作舎、一九八四年
同右『ホロン革命』田中三彦・吉岡佳子訳、工作舎、一九八三年
末木剛博『東洋の合理思想』法蔵館文庫、二〇二一年

人工知能のからくり

人工知能とかけて微分と解く。「その心は?」と問われれば、「微分とは曲線を直線の集合とみなす曲芸であり、そこには一種のごまかしがあるから」と答えたい。

たとえば、陸上競技の一〇〇メートル走。オリンピック級の選手となれば筋骨隆々で、一〇〇キロ近い体重である。スタートはおそくても、途中から速度がぐんぐん増し、後半はものすごいスピードで走り切る。このスピードは明らかに体重と関係し、体重が増せばそれだけ速度が上がるように見える。俗にいう、加速度がつくのだ。

俗にいうと言ったが、加速度は物理学で出てきた言葉で、一秒間なら一秒間にどれだけ速度が増すかを示すものだ。この加速度を割り出すのに用いられるのが、微分である。これを考え出したのはニュートンだと言われ、曲線を数式で表すのが難しかったので、彼はこの曲線を無限に分けていけば最終的には微小な直線の集まりとなるだろうと考え、それによって計算をしやすくしたのである。

つまり、ニュートンは曲線を計算できるものにするための手立てとして、直線の集まりと見立てた。この見立てこそは近代科学最大のテクニックの一つであるが、見立ては見立てであって、それ以上のものではない。

というのも、曲線は曲線であり、決して直線にはならない。それに、無限は数学ではあり得ても、物理ではあり得ないと明言した科学者もいる。なのに、計算を楽にするために曲線を無限分割し、直線化する。これはやはり一種のごまかしであろう。

多くの科学者は、「いや、これでさまざまな計算ができる。そのおかげで、一〇〇メートル走の速度変化の計算もできるし、人工衛星も打ち上げられる」と言うだろう。だが、そこで出てくるのは真の値ではなく、近似値にすぎない。近似値と真の値の差は決して埋まらないのだ。たとえそれが一秒の一万分の一であろうと。

微分は曲線を直線に見立てて成り立つと言ったが、この見立てが危険なのは、科学者にこれが見立てだという自覚がないからだ。それが真であることを保証するのは計算の有効性以外にないのに、それで十分だと思っているのだ。

見立てといえば、日本庭園などにも見立てはある。小石を並べて川の流れに見立て、その流れから仏教でいう無常を連想したりするのだ。だが、その場合、造園者も、鑑賞者も、それが見立てであることを明らかに知っている。そこで活(い)かされているのは、あるものから別のものを類推するアナログ思考であり、つまるところメタファー思考なのである。

この思考が微分思考と異なるのは、微分があくまでも数値化を目指すデジタル思考だという点である。数学では曲線を直線とは見立てないのに、物理学となると、その数学を用いて曲がったものを真っ直ぐなものに見立て、しかもそれが真理であるかのように信じ込むのである。

考えてもみれば、曲線が直線とはちがうという認識は誰にでもある。その認識は「曲」と「直」の質的なちがいから来ている。このちがいは私たちの常識的な判断であり、私たちの両眼がそれを保証する。ところが、それが数値化されると、こちらは量の差であるから、質の差はなくなるのだ。

ヘーゲルは「量がある限度を越せば質に転ずる」と言ったという。そうなると、質と量のちがいは程度問題となり、何ごとも数値化したい物理学者にとって、これほど便利な考え方はないのである。

だがどうだろう、ヘーゲルは正しかったのか？　質はあくまでも質で、それを数量化するところまではよいとしても、だからといって、「量が質になる」とまで言ってしまうのは危険ではないだろうか。

以上、長々と微分の話やその哲学的根拠の話などをしたが、私が人工知能について言いたいのは、要するに、この知能は微分の発想でできているということだ。したがって、これを現実に近づけようとしても、どうしても埋まらない溝があるのだ。なぜなら、それはデジタル思考でできているからで、その限界を突破することは、理論上不可能なのである。

質を量に置き換えても、そこには近似的なものしか生じ得ない。なのに、これを信頼するとなると、悪いのは人工知能ではなくて、それを信頼するほうだということになる。人工知能が答えられるのは、せいぜい数量レベルで満足できる範囲であり、それ以上ではない。このことを、私たちは肝に銘じておくべきだ。

ある人工知能の開発者は、いずれロボットにも情緒をもたせることができると言っている。これは嘘ではないだろう。情緒を情報量に還元し、それに近似したものをこしらえることは不可能ではない。しかし、いくら情緒に近似したものができても、それが本当の情緒でないことは歴然としている。

私たちの知能には、人工知能よりはるかに複雑な思考が可能である。私たちはデジタル思考もアナログ思考も両方できる。人工知能にはそれができないのだ。一見してメタファーが使えるように見えても、実はそのメタファーがデジタル化されている。そのことを見落とすべきではない。人工知能は私たちに劣る。

（参考文献）
佐々木力『科学論入門』岩波新書、一九九六年
大嶋仁『メタファー思考は科学の母』弦書房、二〇一七年
G・W・F・ヘーゲル『小論理学』松村一人訳、岩波文庫、一九七八年
岡本俊弥『機械の精神分析医』NextPublishing Authors Press、二〇一九年

第5章 レヴィナスからデリダまで　現代世界の哲学I

本章と最終章は現代世界と直接関わる哲学思想にあてる。登場する多くが西欧の思想家であるのは、現代世界全体がいまだに西欧中心だからであるが、彼らの思想が全地球的意義を有しているかどうかは読者の判断にゆだねる。

時間と時刻

現代人は時間に追われている。「僕には時間がない」「私、自分の時間が欲しいの」こういうときの時間は、時刻と時刻の隙間を意味する。すなわち、何時から何時までの時間なのである。

ところが、そういう時間とはちがう時間がある。たとえば、眠っていて夢を見る。その中で過ごす時間は、これを目覚めているときに換算すればわずか数秒であっても、夢を見ている者にとっては数時間であったり、数日間だったりする。

映画館で久しぶりに面白い映画を見る。あっという間に二時間が経つ。ところが、映画のなかでは長い歳月が流れており、見ている自分もその時を共にしているのだ。大好きな人を待つ時間は長く、会えばあっという間に三時間がすぎる。これは一体なんなのか。

時は流れるというが、時刻は流れない。時刻とは時に刻み込まれた数字のことだからである。流れる時は数値で表せない。時刻は表せる。

この二つを混同するなと叫び続けたのが、二〇世紀前半を代表する哲学者のひとり、ベルクソンであるが、ベルクソンと同じ時代のフロイトは無意識の世界を発見し、無意識の世界では時が一律に進行していないことに気づいた。時が一律に進行するのは時計の上でのことであって、日常生活はそれに依拠しているものの、私たちの精神活動は無意識の上に成り立っているから、私たちは別の時を生きていると見たのだ。ベルクソンとフロイトは、まったく異なる方向から同じところに辿り着いたといえる。

一律の時間という考え方は近代哲学の代表格カントのもので、カントは私たちには生まれつき時間と空間の認識能力があり、その時間と空間は一律で、これは万人に与えられていると見た。これに対しベルクソンとフロイトは、精神においては空間も時間も一律ではなく、一律の時間なるものは数値化するのに都合よく構築されたものであって、それ以上のものではないと主張したのだ。この二人は互いに知ることはなかったが、両者とも哲学と科学における従来の時間論を打ち砕こうとした点で共通する。

さて、ベルクソンの時間論は記憶の問題と関係する。私たちの記憶には、生活のための記憶と、精神の奥深く刻み込まれた記憶がある。生活のための記憶とは、寝る前に車のキーを携帯電話と一緒に茶卓の上に置いたことを翌朝覚えているといった記憶で、歳をとるとこういう記憶が衰える。一方、精神の奥深く刻み込まれた記憶は、幼少期の楽しい一日のことが突如よみがえるといった記憶で、このような記憶のよみがえりは、いっぺんに時間が吹っ飛んだような感じを与えるのだ。

過去が現在となって現れ、人はその過去を現在として生きる。フロイトもベルクソンもこの後者の記憶を大切にし、そこに精神というものの本質があると見た。

私の住む町の駅前広場では、毎週末に若者がやってきて勝手に歌を歌う。大体が聴くにたえないほど下手くそだが、近ごろ「こいつはなかなかやる」と思わせるのが現れた。

思わず立ち止まって、二曲ほど聴いた。高校生ふうの男子であった。
聴いていると、これまた高校生ふうの女性が小さな紙切れを、数人しかいない聴衆に配布する。私も一枚もらったので中を覗くと、歌の歌詞である。そうか、自作自演なんだとわかった。

「今朝も爽やか　陽がのぼる　呼吸をすれば　山ひかる　同じ朝日を　何度見た？」

今どき珍しい七五調だ。そう思って目を先に走らせると、驚くような歌詞である。

「時は不思議だ　おお不思議　父と一緒に　初日の出　その思い出が　よみがえる　よみがえったのは　餅の味　姉とたらふく　食べた味」

これを読んだとき、ベルクソンはここにも生きていると思った。
ベルクソンが生きているといえば、世界中で圧倒的に高く評価されている押井守のアニメ『攻殻機動隊』もそうである。原作は士郎正宗の漫画だ。
英題はゴースト・イン・ザ・シェル（Ghost in the Shell）。ゴーストは幽霊でなく霊魂の意味で、シェルは殻のことだ。殻は義体と呼ばれる取り替え可能な人工の身体。その中に霊魂だけ代替不可能なまま潜んでいる。その霊魂の内実はなんと記憶。記憶だけはハッキングされない。そこがこのアニメ哲学の核である。

脳科学者は、脳の損傷があった場合でも記憶装置は簡単には壊れないと言っている。しかも、その装置は単なる記憶の貯蔵庫ではなく、記憶を再生させるべく物語機能をもつともいう。記憶の再生とは物語ることにほかならない。

フロイトの精神分析も過去を物語らせる。そうすることで葬り去られていた記憶がよみがえり、今が過去とつながる。これをすると、精神が浄化されるという。

とはいえ、過去の記憶をよみがえらせるのは簡単ではない。無理矢理しようとしても、記憶は逃げていく。「ふと思い出す」という「ふと」が大事なのだ。時刻から自由になる瞬間を、人は「ふと」と呼ぶ。

〈参考文献〉
アンリ・ベルクソン『物質と記憶』熊野純彦訳、岩波文庫、二〇一五年
士郎正宗『攻殻機動隊』講談社、一九九一年

社会は神様

キリスト教には、神の定義として「超越的にして内在的」というのがある。神は人間より偉いのだから超越者である。しかし、私たちひとりひとりの心の中に宿ってもいるから、内在的でもある。

源実朝は「神といひ仏といふも世の中の人の心のほかのものかは」と歌に詠んだ。彼には内在的な神はあっても、超越的な神はなかったようだ。すべてが心の問題なら、神を拝む必要などなくなる。

しかし、超越者としての神は必要ではないだろうか。自分を超える存在がなければ、人はとてつもなく不安になるか、自らを神だと思うようになるか、そのどちらかだ。

日本で社会学といえばマックス・ヴェーバーが有名だが、それは日本近代の学問がドイツに傾いていたからで、ここに紹介するデュルケームはフランス社会学の祖である。ユダヤ教のラビの子であったが、父の宗教を受け継ぐかわりに人間社会を研究し、社会こそが人間にとっての神だという結論に達した。

彼にとって、社会はひとりひとりの人間の上に立ち、同時にひとりひとりの心の中に住んでいるものだった。だから、「社会は超越的にして内在的だ」と言ったのである。

「そんな馬鹿な、私は一人で生きている」と強がる人もいる。「私は社会の奴隷になどなりたくない、社会など気にしていては何もできない」そう言いたい人もいよう。しかし、デュルケームはいう、「そう思いたい気持ちはわかるが、あなたがたが使っている言葉ひとつをとっても、それが社会から来ていることは否定できないでしょう。あなたが今しゃべることができるのは、社会があるからなんです」と。

「そもそも、あなたは自分ひとりで生きてきたわけではない」と彼はつづける。「親に育てられたとすれば、その親が、社会の言うことを聞いてあなたを育てたということであり、あなた自身だって、学校で社会の声を聞かされて育ったはず。もしあなたが社会に反抗したくなるなら、それは社会があなたに反抗することをも教えてくれたからなのです」と。つまり、すべてが社会なのである。

デュルケームはフランス人、しかも二〇世紀の人である。フランスといえば個人主義の国だ。そのフランスで、よくもそんなことを言えたものだと思う。

しかし、彼に言わせれば、フランス人の個人主義は、個人というものを社会から教わった結果として生まれたものである。人は社会あって初めて人となり、そのあとで「個人」というものにもなれるのだ。

この発想は人間の現実に即している。アヴェロンの野生児は、いくら教育しても人間の言葉を覚えることができず、ついに人間になれなかった。人間になるとは、社会化されることなのである。

では、個性とは何かといえば、生まれつきの資質が社会化されたその結果であるというのが本当だろう。たとえば、ある人の英語が個性的だというとき、その人が英語を話せなければ個性も何もあったものではない。社会化とは社会を自分の身につけることであり、それによって、初めて個性を発揮することもできるのだ。

デュルケームの言ったことで重要なことが二つある。一つは「社会と国家を混同するな」である。近代は社会をまとめ上げる宗教がなくなり、国家が強大となって社会生活の隅々までコントロールする時代である。これは社会にとって大変危険なことで、国家が強くなると人と人の横のつながりがなくなると彼は危惧したのだ。

彼にとって、社会とは人と人との具体的な絆。「国家は社会を破壊する」というのが彼の警告であった。

もうひとつは、「小さな仲間組織をつくって、これを育てよ」というものである。関心を共有できる人と人のつながりを強め、それを守りぬくことが大切だと考えたのである。会社にしろ、クラブ組織にしろ、その意味で重要である。そのような小組織がたくさんある社会こそ安定した社会であり、国家による人間関係への過度の介入を防げるというのだ。

日本の近代史を見ると、人と人のつながりを大組織が壊していく過程が見てとれる。町内会といいながら、市という行政区画のための下部組織であり、市は都道府県の下部組織、都道府県は日本国の下部組織というふうに、すべてが一元化されている。これは橋川文三によれば日露戦争以降顕著になったもので、神社までもが国家組織に統合されていったという。

現代の企業も同じで、何でもかんでも合併して大きな組織をつくろうとする。そうなると、中小企業は倒産か、大企業の傘下となるほか選択肢がなくなる。中小企業とは資本規模が小さい企業というだけではない。はたらく人どうしのつながりのある企業を意味する。そういう組織がなくなれば、社会という神は死ぬ。

このように見てくると、デュルケームが「社会は神だ」といったのは、「国家が社会を殺すことがあってはならない」という意味だったとわかる。国家みずからが神になったら、人は人でなくなるという意味なのだ。国家は人と人のつながりを求めない。命令系統のみ求める。これでは人類は破壊される、とデュルケームは見たのだ。

（参考文献）
エミル・デュルケーム『社会学と哲学』佐々木交賢訳、恒星社厚生閣、一九八五年
Ｊ・Ｍ・Ｇ・イタール『新訳　アヴェロンの野生児』中野善達・松田清訳、福村出版、一九七八年
橋川文三『日本浪曼派批判序説』講談社文芸文庫、一九九八年

自然は神様

だいぶ昔のことだ。メキシコから家族連れで日本に来た大学教授が、あるとき自宅に呼んでくれた。奥さんがメキシコ料理をふるまってくれるというのだ。

小学生の娘さんがいて、スペイン語を忘れないためにメキシコの小学校で使っている教科書を何冊か持っていた。そのうちの一冊をのぞいてみると、「人間は考えます。動物は考えませんが、動けます。植物は考えもせず、動くこともできません」とあった。これには驚いた。今どき、こんなことが教えられているとは信じがたいと思った。

もっとも、四〇年前のことだ。今なら、こんな教科書は使われていないだろう。あそこにあったのは中世ヨーロッパの自然観そのもの。二〇世紀に至るまで、それが変更されずにいたとは。

科学技術の進んだアメリカでも、いまだにダーウィンの進化論を認めない学校があると聞く。西洋の宗教的世界観は自然科学の敵なのである。

だが、それほどに宗教の影響力の強い西洋で自然科学が発達したとは、考えてみれば不思議である。科学の源には懐疑があるから、信仰と両立しなくて当然なのだが、信仰心のつよい人の多い中からそれを否定する思想が出てくるとは、これだけでドラマではないだろうか。

中世キリスト教の世界観は、古代ギリシャの自然観と聖書の自然観を矛盾しないようミックスしたものだ。もともとはまったくちがう自然観の合成だから、亀裂が入ってもおかしくない。しかし、その亀裂は徐々にしか広がらなかった。コペルニクスやガリレオが教会権力に苦しんだゆえんである。

日本に入った仏教は「山や川や草木にも仏となる可能性がある」という思想を持つ。西洋の自然観とはあまりに違う。戦国の世にキリシタンとなり、やがて信仰を捨てた不干斎ハビアンは、「キリスト教では神が自然を創造したというが、自然は自然に成ったから自然なのだ」とキリスト教を攻撃した。「自然」という言葉には「おのずから成る」という意味があるのだ。

西洋では宗教の影響が弱まった近代になっても、「人間には理性があるが動物にはそれがない」といったキリスト教的自然観が支配的である。知性をもつ唯一の生物である人類が世界の支配者で、他の生き物の上に立っているという考え方はいまだにつよい。

しかし、現代はエコロジーの時代で、サステナビリティーとか動物愛護とかが謳われ、自然に優しい時代になったのではないか？　必ずしもそうとは言えないというのも、これら流行概念はいずれもが人類中心主義であることに変わりないからだ。

現代のこういう潮流を乗り越えるには、たとえば一七世紀のオランダに生まれたスピノザを思い出す必要がある。彼によれば、世界にはたったひとつの実在しかなく、それは神であり、その神は自然にほかならない。人間も他の動物も、意識も思想も、身体も天体も、雨も風も、いずれもが神の表れなのである。だから、すべてを愛さねばならないとなる。

愛するといっても、スピノザにとっての愛とは知ることであった。神を愛するとは、自然を知ることなのである。こんな考えを発表したものだから、異端審問を逃れてカトリック教からユダヤ教に復帰していた彼は、ただちにユダヤ教団から破門され、同時にカトリック教会からも異端視された。それでもオランダにいつづけたのは、オランダが当時のヨーロッパで最も自由な国だったからで、おかげで刑罰を逃れることができたのである。

彼の哲学は自然科学と合致する。アインシュタインなどはスピノザの神なら信じられるとまで言っている。だが、スピノザに言わせれば、そういう科学者はまだ中途段階の人間で、神の叡智の断片は認識できても、その叡智には至っていないことになる。

スピノザで大事なのは、「私たちは自然の一部で、そのかぎりにおいて他の生物と同列だ」という思想である。私たちが考えを持つのは私たちのおかげではなく、自然のなせるわざだというのだ。この考えは限りなくわたしたちを謙虚にする。

スピノザの考えを現代において受け継いだのはフロイトである。そのフロイトは人間精神を自然のはたらきとして捉え、そのはたらきを分析した。この人の考えたことは、二一世紀人が知らずにはいられないものである。

スピノザは宗教と科学を結びつけたとも言われる。彼において、自然は知の対象であると同時に、敬うべき神でもあった。神といっても信仰の対象ではない。敬意の対象であり、その妙技を探求すべき存在なのだ。
スピノザから教訓を引き出すとすれば、自然を知ろうとするだけでは不十分、自然に敬意を持たなくては自然を知ることはできないということだ。芸術家も同様で、自然を尊敬せずして芸術などできないのである。かつて「自然は芸術を模倣する」などと豪語した詩人がいたが、たわけ者としか言いようがない。

（参考文献）
スピノザ『エチカ　倫理学』畠中尚志訳、岩波文庫、一九五一年
フロイト『精神分析入門』高橋義孝・下坂幸三訳、新潮文庫、一九七七年

動物は考える

動物ドキュメンタリーが人気があるという。多くの人はテレビかYouTubeで見ているようだ。動物に人間の反映を見るのか、ただ単に可愛いとか、美しいとか思うのか。

とにかく人間のドラマより落ち着いて眺められ、自然界のことがよくわかって面白い。

こうしたドキュメンタリーを制作する側の態度はまちまちだ。欧米で多いのはライオンなどが獲物を追いかけるハンティング物で、そこではやたらに「殺す」(kill)という語が使われる。動物の残虐性を強調し、人間はそれほどではないと言いたいようだ。

日本の動物ドキュメンタリー作家として名をなした羽仁進(はにすすむ)は、かってこんなことを言っていた。「欧米のドキュメンタリーは動物どうしの争いを撮ったものが多いんですよ。でも、実際の動物たちはもっと平和に暮らしてるんです。異なった種の動物たちが同じ地域に調和を保って生きている。僕はそういう動物たちの姿を撮りたいですね」

なるほど彼のドキュメンタリーは、動物の平和な日常と共生の姿をとらえたものが多い。

しかし、欧米のドキュメンタリーも最近になって大きく変わってきた。動物の残虐性を強調するよりは、その賢さや巧妙さ、知性や思考力のほうに重点が移ってきているのだ。クジラやイルカ、タコのドキュメンタリーはもちろん、鳥類のドキュメンタリーにもその傾向が現れている。人間だけが優れているわけではない、彼ら動物たちには人間には考えられない能力が備わっている。そういうメッセージが伝わってくるのである。

この変化は、制作者の側に最新の科学的知識を取り入れようという意識が生まれたことによる。ナレーションも扇情的ではなくなり、過度にロマンチックでもなく、平静な科学的記述に近いものとなってきている。

科学にはいろいろ問題もあるが、私たちの偏った世界観を修正するかぎりにおいて、その社会への貢献は大きい。科学は依然として未来を開くものなのである。

動物に関する科学は実際大きく進歩した。今や高度な技術を用いて、その認知能力やコミュニケーション能力、さらには記憶力の問題などを追究している。動物を扱う科学者たちは動物も人間も同じ生物であり、それぞれに異なった方法で環境に適応するための最善の努力をしていると見ているのだ。

こうした科学者の出現は、人類が他の生物から孤立しているなどといった傲慢な態度を払拭してくれそうに思える。だいぶ前にノーベル賞を受賞した生化学者のジャック・モノーは「人類はこの宇宙で孤立している」などと言っていたが、とんでもない生物観だと思われてくるのである。人類は決して孤立なんかしていない。この地球だって、月ばかりでなく他の惑星とも連携して太陽系をなしているではないか。

今からおよそ九〇年前、動物と人間を同じ物差しで測った生物学者がいた。ロシア統治下のエストニア出身のヤーコプ・フォン＝ユクスキュルである。その著書は日本語訳もあり、この人の創見はいまだに色あせない。

フォン＝ユクスキュル曰く、「ダニも考えている」。ダニの思考は単純で、あるものが餌になるかならないかの判断しかないのだが、それでも外界の刺激を記号化してとらえ、その記号から判断して行動している。だから、「考えている」というのだ。

「そういうのを考えるっていうのか？」と疑問をもつ人もいよう。しかし、外界を記号で捉え、それをもとに行動するのは私たちが日常行っていることで、私たちの大多数の行動は、そういう思考過程の上に成り立っているのである。路上で信号機を見て、止まったり前進したりするのは、私たちの日常的思考の産物である。

もちろん、人間の場合は言語を持っているので、そのような原初的な思考から逸脱する。その逸脱によって思考は抽象的なものになり、宇宙を考えたり、数式をつくったり、哲学したりする。しかし、そういう人類の道が自身を迷わせ、破滅の方向に導く危険があることも知っておくべきだ。原爆など、すぐれた知能を持つクジラやタコでもつくり出せないではないか。

動物ドキュメンタリーはこの観点からも重要である。人間が自分の原点を忘れないようにするのに役立つのだ。動物たちのもつ能力は人類が失ったものが多く、そうした優れた能力をもつ彼らのおかげで私たちの生活は安定している。私たちは孤立しているどころか、彼らの世話になっているのである。

ところで、サハラのアリは風で砂漠の地形が変化するにもかかわらず、自分たちの巣に戻れるという。これを研究した人は、アリが歩数も含めて自分たちの歩行過程を覚えていることを明らかにした。アリは身体に計算機を蔵しているのだ。その計算機は電子によっているというから、まさにコンピューターである。

ネズミが三角形とか円とかの図形をはっきり認知していること、ミツバチが見事に計算された美しい巣をつくれることなど、動物には驚くべき能力が備わっている。彼らの数学は人のそれと違って意識されることがないと言われるが、私たちだって、知らずに数学をしていることが多い。意識すれば、かえって本来の数学から遠のくこともあるにちがいない。

（参考文献）
ユクスキュル／クリサート『生物から見た世界』日高敏隆・羽田節子訳、岩波文庫、二〇〇五年

デイビッド・アッテンボロー『生きものたちの地球』天野隆司・野中浩一訳、NHK出版、一九八五年

無意識という火山

フロイトというと、火山が目に浮かぶ。普段は静かなのに、時にして爆発する火山である。なぜそれが思い浮かぶかというと、フロイトの自我の説明が火山そのものだからだ。

私たちの自我の内底には熱いマグマがあって、いつも上にのぼってこようとする。それが吹きこぼれないように、自我という殻をつくって抑え込む。だが、その殻は案外にもろい。それゆえ、家族とか社会とか外から圧力をかけないと、自我は安定しない。

社会や家族の圧力がなかったとしよう。自我は形を成さないばかりか、どろどろとしたものとなり、欲求の赴くままに動くだけで、結局はなにも成さない。意外に思えるかもしれないが、外からの圧力があってこそ私たちの自我は安定し、まともな活動ができるのである。

外圧が過剰になると、自我の殻は壊れる。すると、地下に溜まっていたマグマが一気に噴き出す。そうなれば暴力沙汰が起こり、後悔しても始まらない。子が親を殺したりする事件が十分起こり得る。

人が社会で生きていくためには、そうした事態を避ける必要がある。マグマである欲求と、社会の外圧とのバランスを実現することが重要なのだ。それを見たフロイトは、外圧を緩和する装置を自我の中に構築することが必須だと考えた。精神分析という彼の発明は、そのための手立てなのである。

精神分析は、外圧が自分にどう影響しているかを患者にじっくり見させる機会を与える。患者がこれを機に悟るのは、周囲から言われたことを一〇〇パーセント引き受けず、自己の欲求と外圧との調和を図ることが大事だということである。それをやり遂げるには、地下のマグマを少量ずつ噴出させることが必要だとフロイトは教える。そして、噴出量を少なくするには、抑圧された欲求を言語化するのがよいと教えたのである。そうすれば、暴力を振るわずして溜まった感情を表に出せる。

たとえば、会社の上司あるいは先輩がうるさいとする。「病的」なほどにうるさいとする。そんなとき、退社後に一杯飲んで憂さ晴らしをするのがいいのか。ゲームセンターで夢中になって敵を攻撃し、ストレス解消を狙うのがいいのか。フロイトなら、それでは不十分というだろう。

彼なら、その上司（先輩）が自分を不快にさせる原因をまず探ってみろという。原因は上司（先輩）にあるか、それとも自分なのか、そこをはっきりさせろと。そしてその上で、今度はその上司（先輩）に「あなたの態度は不快だ」と言葉で伝えるのがいいというのである。

これをしない限り、欲求不満は溜まる一方だし、相手は自分に不愉快な思いをさせているとは気づかない。これでは事態は少しも改善されないのだ。

相手に言ったからとて、相手の態度が改まるとは限らない。しかし、相手は少なくとも自分がそう思われていることを知るし、言った側も、言いたかったことをやっと言えたという満足感は残る。暴力的な手段に訴える前に、これができるかどうか。人生の分かれ目である。

フロイトの分析は私たちの幻想を打ち破ってしまうことが多い。それゆえ、彼が憎くなることもある。彼自身もそれを知っていて、「私は人間関係の根底に性欲があると主張するものですから、多くの人から嫌われています。でも本当は、愛というものを立て直したいんです」と言っている。

彼は人間精神の根底に性欲をすえた。これには多くの人が抵抗を感じた。しかし、性欲を生の欲求と置き換えたら誰もが納得するだろう。人が生きるには食欲が不可欠だが、人はやがて死ぬので子孫を残したいと願う。性欲は必須なのである。

フロイトは多くの人がタブー視した性欲を心の病の原因とした。彼は人間を動物としてとらえ、その動物が必死になって文化生活を営んでいるうちに、自身のもつ性欲を歪んだ形でしか表現できなくなっていると気づいたのである。この洞察は、社会や文化のあり方を考える上でも、個人の幸福を考える上でも、極めて重要である。

彼の声を虚心で聴くにはある種の勇気が要る。人間にはエロスすなわち生の本能と、タナトスすなわち死の本能の両方があり、この二つはつねに拮抗しあっていると彼は言う。多くの人はこれを拒否したがるが、言われてみれば、彼が正しいような気もしてくる。

私たちはかろうじて生きているのであり、一歩間違えば、あの世の住人となる。「フロイトさん、よくぞそこまで解明してくれました」と感謝したいほどだ。彼の信じられないほどの努力のおかげで、心底から生きる勇気が湧いてくるのだ。だが一体、彼はどのようにしてそこまでたどり着いたのか。

彼に言わせれば、長年神経症の患者を見てきたからということになる。人間はひたすら生きようとする動物であるが、すぐそばに死がひかえていることを知っているし、死んだほうが平安を得られることも知っている。そういうきわどい存在である自分を、もう少し直視してみたらというのが彼の提案である。この提案に、合掌。

（参考文献）
フロイト『自我論集』竹田青嗣編、中山元訳、ちくま学芸文庫、一九九六年
大嶋仁『精神分析の都』作品社、一九九六年

人類はいずれ滅びる

丸山茂徳監修の地球史ビデオによると、地球はやがて滅亡するし、太陽も太陽系も消失する。これが天体の運命であり、自然の摂理だというのだ。

しかし、これでは暗すぎると思ったのか、人類の叡智は人為的に生命を創造し、その

生命体を地球外に送り出すことができるから、生命そのものは終わらないと締めくくっている。

人類学者のレヴィ＝ストロースは「地球は人類なしに始まり、人類なしに終わるだろう」と言った。悲観的に聞こえるが、現実的と言い換えたほうがいいだろう。丸山が言うほど人類が賢いとは思えない。

地球が誕生した時にはまだ生物はいなかったのだから、生命の誕生はある時点で起こったことである。誕生したものは死が運命づけられているのだから、生命がいつか消滅すると考えるのは理にかなっている。

レヴィ＝ストロースは、文明社会に蔓延する根拠なき楽観主義にいや気が差していたのかも知れない。にがりきった顔で、「ホラを吹くのはいい加減にしてほしい」と言っているかに見える。彼によれば、人類の叡智はブッダに集約されている。ブッダは神の存在など考えず、信仰も求めず、すべてを分析しつくし、この世の一切がつねに変化しつづけ、今ここにあると思っているものも一瞬のうちに消え去り、永続するものなどひとつもないと見きわめたのである。これが叡智だとすると、科学も哲学もつかの間の慰みに過ぎないことになる。

もちろん、芸術も詩歌も同様だ。だが、それでも生き物は子孫になにかを残そうとする。それが一体なんのためなのか、分かっているわけでなくとも。

パリでレヴィ＝ストロースに会ったとき、「未開社会と文明社会の違いは結局なんですか？」と尋ねてみた。すると、「未開社会は未開ではありません。人間と環境の調和を保つよう努力している社会のことを、私たちは未開だと思い込んできたんです。文明社会は、環境を壊すことで人間を地球の中心に据えようとします。賢くないですね」と答えてくれた。

「日本には未開の部分と文明の部分が同居していると思うのですが」と聞いてみると、「そのバランスが大事なんです。過去の日本はそれをなんとか保ってきた。しかし、これからどうなるか、そこはあなたがた次第ですよ」と釘を刺された。あっさりした言い方だったが、後々まで胸中に響いた。

会ってくれた礼を言って帰るとき、握手を交わした。その手がおどろくほど冷たかった。この手で少年のころはパリのアパートの片隅で木の切れ端で楽器を作ったり、アマゾンの森林の奥で自らの手を絵に描いてみたりしていたのだと思った。

「文明」と「未開」ということでいえば、彼は「未開社会」が消滅すれば、人類も消滅すると見ていた。「文明」はその原点である「未開」を破壊することで自滅する。なのにそれに気づいていない、と見ていたのだ。

では、私たちはそうした運命を、手をこまねいて見ることしかできないのか。彼は慈善事業家ではなかった。滅びゆく民族のために募金活動をしましょうなどとは言わなかった。ただ、そうした民族が少しでも長らえて人類の原点を示しつづけてくれるようにと、ユネスコにはたらきかけてはいた。

彼は手仕事を重視した。機械を使わず、手でなにかをこしらえる。工作キットを使わず、ありったけのものを工夫して使う。手仕事、菜園づくり、植物や犬や猫との共生。「芸術」といったものを意識しない絵描きや楽器の演奏。これらは文明人のホビーではない、人類にとって本質的なものだ、そう思っていたのである。

彼にとって、人類に残された時間は少なかった。ひたすら進歩しようと焦っているそのことが人類の余命の短さを示していると見ていた。行く手には絶滅しかないということを人類は心のどこかで感じているはずだ。そのせいか、立ち止まって心の声に耳を傾けることが怖く、ひたすら邁進しつづけていると見たのだ。

彼は言った、「立ち止まって陽の光を身体で感じ、道端の猫と眼差しを交わすひとときを持ちなさい」と。この単純な教えが今となって意味深いものに感じられる。

そういえば、パリで彼と会ったときに、私はもう一つ質問をしていた。「先生の書いたものは、少しは世の中に変化をもたらしたんじゃないでしょうか？」彼は静かに首を横に振った。

その時から三〇年が経つ。私はいま知里幸恵の『アイヌ神謡集』を手にしている。日本人が「文明人」を気取って滅ぼした民族の歌である。その歌には人類の原点が確実に刻まれている。これが日本語になって残されたこと自体、ひとつの奇跡であるように思える。同時に、私たちが思う「進歩」が、罪悪でしかないようにも感じられる。

アイヌ社会は文字を持たず、「未開」であった。文字の存在を知らなかったのではなく、持たないことを選択したのだ。持てば必ず社会と自然の均衡が崩れる。それを直覚し、自然と人間のあるべき関係を保とうとしたのだ。

（参考文献）
丸山茂徳『最新　地球と生命の誕生と進化』清水書院、二〇二〇年
クロード・レヴィ＝ストロース『悲しき熱帯』川田順造訳、中公クラシックス、二〇〇一年

知里幸恵『アイヌ神謡集』岩波文庫、一九七八年
金田一京助『ユーカラの人びと』藤本英夫編、平凡社ライブラリー、二〇〇四年

他者と他人

日本語では自分以外の人のことを「他人」という。「他人」の反対語は自分かというと、そうでもない。「身内」という。「他人」は排除の対象である。

では、「他者」は？　そんな言葉は本でしか見ない。日本語に定着していない。精神分析家のラカンか、倫理思想家のレヴィナスの用語の翻訳にちがいない。

ラカンのいう「他者」は大文字で出てくる。個々の他者ではなく、「自分ではない存在」という広い意味で、この大文字の他者との関係の中で自我は形成されるというのである。

子どもにとっては親や兄弟が他者との出会いの始まりであるが、まだ言葉を話せないうちは自分と他者の区別はつかない。自他同一の段階である。

それが言葉を覚えて自他の区別がつくようになる。徐々に、自分と他者のちがいもわ

かってくる。しかし、自他同一の段階の甘美さは忘れられない。そこで甘えようとしたり、わがままになったりするのだが、他者は必ずしもそれを許さない。そこで葛藤が始まる。

大人になるとはこの葛藤を引き受けることであり、自己と他者との関係の中で自己をつくり出すことなのである。

以上のことは当たり前のことであって、特別なものはなにもない。ないのだが、それでも人はこれを忘れる。そして、他者との関係を煩わしく思い、もっと楽しい別の関係がほしくなる。

しかし、その楽しい関係は、実は幼少期に脱したはずの自他同一の楽しさの代用品であって、決して心を満たさない。二度と同じところへは戻れないのだ。大人になるとは、この真実を受け入れることなのである。

だいぶ前に見た香港のヤクザ映画で忘れられない場面がある。一人娘を暴力団に殺された元ヤクザの親分が、いつまでも死んだ娘の肖像写真を拝んでいる。そこへやって来た若い元子分が、その写真を破り捨てる。元親分が仰天してその元子分を見つめると、「親分、いつまでも写真にしがみついてどうするんです。娘さんは帰ってこない。親分らしくねえですぜ。写真なんか捨てて、やるべきことをやらにゃ」と言うのだ。軍団を立て直し、復讐しましょうというわけだ。

この場面が忘れられないのは、写真を見て失われた過去にしがみつくより、現実の中で自己を立て直せという考えを鮮明に打ち出しているところだ。自他同一の幸福は二度と戻らない。ならば、幸福を新たに創造しなくてはならないのだ。

さて、レヴィナスのいう「他者」は、ラカンのとはちがう。いや、誰のともちがう。私はこれを知ったとき、目から鱗が落ちる思いがした。

レヴィナス曰く、他者とは自分とは異なるから他者である。当たり前じゃないかと言うなかれ。人は誰しも自分と似たものを他者に求める。だが、そのような他者は、ほんとうの他者ではなく、自分のなかに取り込んだ他者であり、取り込んだ時点で、その他者は他者でなく自分になっているのである。これでは本当の関係はできない。他者を他者として、自分とは切り離した存在として尊重してこそ、本当の関係が築けるというのである。

目から鱗が落ちたというのも、私はそのように他者を考えたことがなかったからだ。普通、ある人が自分との接点がまったくなかったなら、その人は私にとって存在しないも同然である。ところがレヴィナスは、それでは人との関係は築けないと言っているのだ。

なるほど、「自分と接点がある、気が合うな」と思っていた人が、あるとき別の面を見せる。すると急に白ける。距離を感じる。そして徐々に疎遠になる。そういう経験を何度もすると、これは自分にも問題があると思えてくる。その問題の核心をレヴィナスは衝いているのだ。

レヴィナスの言葉で一番強烈に残っているのは、以下のものだ。「他者は理解できない。理解するということは、他者を自分のものにしてしまうということで、それができないからこそ他者は他者なのである」

私たちは人さまの前でいい顔をしたがる。少し変な人間が現れると、理解してあげなくちゃいけないと思ったりする。しかし、レヴィナスふうに言うなら、そういう態度は傲慢であり、自己中心なのである。

理解できないとは、自分には及ばないということだ。自分には及ばないと感じることは、自分より上だと感じることである。レヴィナスは、そのように他者を感じることが人間関係で最も重要だというのである。

明治の頃、「異人」という言葉があった。レヴィナスのいう「他者」は「異人」がぴったりである。「異人さんに連れられて行っちゃった」という童謡では「異人」は恐ろしい存在だが、「異人」とは自分あるいは自分たちとは異なった存在であり、それでもやはり人であるという意味なのである。

これを古風にいえば、「まれびと」である。「まれびと」は沖縄や奄美では神様である。私たちの心の奥に「まれびと」への畏怖がある。この畏怖こそがレヴィナスの他者論の核となっているように思える。

（参考文献）
エマニュエル・レヴィナス『時間と他者』原田佳彦訳、法政大学出版局、一九八六年
折口信夫『まれびとの歴史』青空文庫ＰＯＤ、二〇一七年

脱構築ってなに？

パリで一度だけデリダの講義を聴いたことがある。エイズ、人種問題、聖書、フロイ

トと、さまざまな話題を関連づけて話していた。その流れは自然で無理がなかった。

終わってみれば、最前列に三人のアジア人がいる。服装としぐさから日本人だと思った。講堂を出ようとすると、その三人のうちの一人がこちらに手を振る。出口で立ち止まり、その人がやって来るのを待った。

前に会ったことのあるHさんだった。日本人旅行者の観光ガイドをしつつ、哲学の勉強をしていた。「毎月一回、デリダの講義を聴きに来るんです。欠かしたことはありません。もう一〇年になりますよ」と挨拶がわりに言った。

あとの二人も誘って、近くのカフェに行った。しかし、Hさんはコーヒーではなくビールを四人分注文した。午後の三時に「乾杯しましょう。デリダを祝して」と。

デリダを祝すという意味は分かりかねたが、どうやらこの三人、毎回デリダを聴いたあとで同じカフェで乾杯するようだった。なるほど、これがデリダ・カルトだと思った。

デリダはそれほどにも人を惹きつけるのか。アメリカでも、「およそ思想を語る者なら、デリダを知らなくてはならない」みたいな風潮があるようだ。日本ではそれほどでもなく、むしろフーコーの方が人気がありそうだ。しかし、大半の日本人にとって、デリダも、フーコーもどうでもいい存在、あるいは無存在である。

デリダの本は難解である。なんで簡単なことを言うのにあれほど難解にするのか、と首を傾げてしまう。むろん、そこに戦略があるのはわかるのだが、もっと上手にできないものか。もっとも、フランス語圏の読者には、あの書き方が私たちにはわからない効果をもたらすのだろう。

デリダのキーワードは「脱構築」である。脱構築とは構築されたものから脱け出すということだ。しかし、原語の déconstruction からすると、構築を無にすること、あるいは解体することである。

世界は構築物に満ちている。都市、ビル、マンション、学校、病院もそうだが、政治システム、経済システム、法律、言語などすべて構築物だ。私たちはその住人であり、私たちの吸う空気はこれら構築物によって限定されている。

デリダによれば、「西欧」という概念も構築物である。構築物であるからには骨組みがあり、その骨組みを解体するにはそれをまず分析すべきということになる。

西欧の骨組みとは、彼曰く、論理中心主義、音声中心主義、意味中心主義、そして自己中心主義。これらは互いに連動して一つのシステム、すなわち構築物となっている。西欧人は好むと好まざるとにかかわらずこの構築物のなかで考え、行動する。そこから脱却せよ、といいたいのだ。

では、脱却すれば何が生まれるのか？　構築物の中にいてそれを支えている人々は、自分と構築物のあいだに隙間あるいはズレが見つかれば、そこから自由を得られるだけではない。その構築物によって害されている人々を救うことにもなるというのである。

長いあいだ西欧では自由とはシステムに対立し、それを破壊するか修正するかしなくては自由になれないと信じられてきた。ところがデリダは、ある組織に問題があるとしたら、その組織を潰そうとするよりはその内奥に入り込んで、骨組みを解体し、そこから自由になる方がいいと考えたのである。

ところで、デリダがいう西欧の自己中心主義だが、どの社会も自己中心ではないだろうか。北米先住民のイヌイットは自らをイヌイット、すなわち「人」と称し、自分たちが「人」で、あとの人類は「人でなし」だと思ってきた。日本人だって、「日本人」か「外人」か（最近は外国人と言い換えているが）の二項対立から一歩も出ないでいる。そういう思考システムは間違いなく構築物であり、私たちはその囚人となっている。おまけに、それに気づくこともない。

とはいえ、デリダのいう西欧と比較すると、日本は大きく異なる。論理中心でも音声中心でもないし、意味中心でもない。感覚中心であり、ヴィジュアルであり、意味のはっきりしない記号を楽しむ習性がある。

アメリカはというと、ヨーロッパの伝統を引き継いではいるものの、そこからズレている。その意味でヨーロッパを脱構築しているのだが、彼らはそれとは別の構築物をこしらえており、それに縛られている。文化というものは人類に不可欠とはいえ、どの国も、どの社会も、それを構築することでその奴隷となる。

デリダが言いたかったのはまさにそこで、構築されているものを自然なものと受け止めるかぎり、そこから逃れ出ることはできないと言いたかったのだ。人間がいだく自然というイメージでさえ構築物。それを意識できるようにすること、それが脱構築の始まりだというのである。

こんなふうにデリダを理解してみると、知ってか知らでか、彼が仏教に近づいていたことが見えてくる。「色即是空」とはまさに脱構築を言っているように思えるのである。「色」は構築物、構築物は実は「空」っぽ。となると、デリダの難解な翻訳を読むよりは、仏典でものぞくほうがよさそうにも思えてくる。

（参考文献）
高橋哲哉『デリダ　脱構築と正義』講談社学術文庫、二〇一五年
ジャック・デリダ『根源の彼方に　グラマトロジーについて』足立和浩訳、現代思潮社、一九七二年
鎌田茂雄『般若心経講話』講談社学術文庫、一九八六年

小出しの哲学

二〇世紀の哲学者ポパーは現代世界にとってきわめて有用な考え方を示した。一時は政治家の間でも人気があったと聞くが、ほんとうかどうか知らない。

ポパーは社会工学の理論家として有名である。彼の思想は民主主義国家のあるべき姿を照らし出しているし、科学についても独創的な見解を示している。彼について知ることは、現代人として必須のことのように思われる。

社会を一つの機械と見た場合、そこに生じた不具合をどう解消すべきか。これを探究する学問を社会工学という。これについてのポパーの見解は「ピースミール」という語

に尽きる。

ピースミールとは「徐々に、少しずつ」すなわち「小出し」という意味である。社会を改善しようとするなら、全体をではなく、問題の箇所にのみ手を加え、部分的に修正していく方がいいという考え方だ。

この考え方は実用に適しており、どの社会でも実践すべきと思えるほどだが、「問題によっては抜本的な改革が必要な場合がある。それをしないで、ちょこちょこと細部を修正しても始まらない」ということもいえる。

役人は一般に抜本的解決など考えないので前者を支持するだろうが、政治家となると、「ピースミール」よりは「抜本的改革」を謳ったほうがカッコいい。当選のためなら、カッコいいことを言うにかぎるのである。

ポパーが言いたかったのは、「政治はイデオロギーに支配されるな」ということである。オーストリア生まれのユダヤ人であった彼は、ナチスの台頭を目の当たりにし、その経験からそう言ったのだ。

ナチスのイデオロギーとは全体主義、民族主義、反ユダヤ主義、反共産主義。ヒトラーはこれらを次々と実現した。その恐ろしさを知っているポパーであればこそ、「小出し」を提唱したのである。

ヒトラーはユダヤ人を大量虐殺したから悪人なのか。否、間違った政治システムを構築したから悪人なのだ。ポパーにとってヒトラーは一人の人間ではなく、誤ったシステムそのものだった。

ポパーはヒトラーだけを目の敵にしたわけではない。「共和国」と名のつく独裁国家を提案した古代ギリシャのプラトンも、「平等社会を実現すべく闘おう」と呼びかけたマルクスも、ともに彼にとっては敵だった。なんとなれば、プラトンもマルクスも理想的な政治の実現を目指した。そういう理想主義者の計画は必ずや失敗し、多くの市民はその犠牲となるのである。政治はそうあってはならない。これがポパーの信条である。

ポパーにとって、社会も、国家も、「開かれた」ものでなくてはならなかった。「開かれた」とは、意見があれば反対意見が必ず生まれる場を確保するという意味である。そのような場こそは自由を保証するものであり、意見を言わせない、反対勢力を抑圧するといった姿勢は、彼にすれば最も危険なのであった。

たとえば、数年前、アメリカではドナルド・トランプが大統領に選ばれた。選挙は僅差の勝負であり、反トランプ派がかなり多かったことから、「アメリカは分断される」

といった危惧が生まれた。ポパー式に考えれば、「分断のなにが悪い」ということになる。

もともと意見の対立はあって然るべきで、対立がない方がおかしいではないか。対立がないとは抑圧が極大になっている証拠であって、そんな国が民主国家などとはいえない。「アメリカ人、なに考えてるの？」ということになる。「隠れトランプ」が多数いる国に本当の民主主義はあるのか。「トランプを支持します」となぜ人前で言えないのか。ここにアメリカの最大の問題点がある。すでに出来上がった価値観とシステムがあり、それが一種の神器となっているアメリカ。民主主義どころか、全体主義の国かも知れない。

しかし、それはアメリカだけの問題ではない。日本のようにアメリカに追従する国も、民主主義の衣を着た全体主義国家になる恐れがある。日本の場合、根底のイデオロギーが見えにくい。それだけに、用心が必要である。

ポパーに話を戻せば、歴史というものにも彼は批判的であった。歴史は物語としての価値はあるが、これを真実であると思うのはたいへん危険なことだと強調している。ナチス党員やマルクス主義者は、「歴史はこうなっている、だから将来はこうなる」と決め込んでいた。このきわめて非科学的な考え方が多くの人を死に至らしめた、というのである。

天体の運行は法則どおりに進むかも知れないし、そう考える根拠もある。しかし、歴史となると予測ができず、そこに法則など見つからない。物理学なら実験で法則が正しいと証明できるが、歴史は人間が動かすものだから実験などできない。そういうわけで、ポパーは歴史主義を危険視したのである。

私が学生の頃は大学紛争の真只中。なかには威勢のいいのがいて、「我々の闘争は歴史の大実験だ」と豪語していた。とんでもない錯覚である。そのために、頭蓋骨が陥没して一生を台無しにした者もいる。

私はポパーの哲学を社会人、大学生といわず、高校生にも薦める。彼の哲学を万能とは思わないが、多くの点で納得のいくものである。ただし、読みやすくはない。

（参考文献）
カール・ポパー『歴史主義の貧困』岩坂彰訳、日経ＢＰ、二〇一三年
小河原誠『ポパー　批判的合理主義』講談社、一九九七年

あなたは岸田派？　浅田派？

『ものぐさ精神分析』を著した岸田秀がものぐさであったわけはない。彼には多くの著書があり、翻訳も多数。同時代の著名な知識人との交流もあり、一九八〇年代は売れっ子だったと言ってもよいほどだ。そういう彼が、どうして自らを「ものぐさ」と称したのか。

「照れ隠しであろう」と考えるのが妥当だろう。本当はすごい勉強家なのだが、それを人に知られたくなかったのだ。

もっとも、彼は自分のことをさほど勉強家とは思っていなかった可能性もある。「勉強家だったら日本の心理学界を刷新する学者になっていたはずだ」と思っていたのかも知れない。

だが、彼が「ものぐさ」だったことは、多くの日本人にとって幸運だった。いわゆる勉強家でなかったので、自身の知識と直観力を自由に駆使して思い切りのよい日本人論を展開できたのだ。

彼のいう日本人は上記の『ものぐさ精神分析』にはっきり現れている。曰く、近代日本人は自己分裂をわずらっており、その淵源はペリーの来航にあるというのだ。

鎖国の安逸をむさぼっていた日本人にとって、海の向こうからいきなり現れた蒸気船はゴジラの如き怪物であった。それだけでもショックは大きかったが、ましてその艦長が開国を迫り、大砲で脅したのである。徳川幕府はこの脅しに折れてついに開国となり、以来、日本人の自己は分裂した。一方で外の世界に合わせようという西欧型自己を、他方で同じ西欧を忌み嫌う反西欧的自己を形成したというのである。

対立矛盾する二つの自己。これが統合されなければ、精神が病んでしまう。近代日本人とはそうした自己分裂を病む精神病者であって、だからこそ場面場面で異なる自己を演じざるを得ず、精神的負担はますます大きくなるというのだ。

この論を使えば、日清・日露にはじまる一連の戦争も、台湾や朝鮮半島の植民地化も説明できる。また戦後の米国追随外交の裏に潜む、ひそかなるアメリカへの対抗意識も説明できる。驚異的な経済成長も、岸田によれば、ねじれた心理が生み出したものなのである。

このような論が、精神分析のなんたるかをも知らなかった当時の日本人に鮮烈に映ったとして間違いない。なるほどと膝を打つ者があったとしても当然である。彼の論は政治にも当てはまり、近代日本における右翼と左翼の形成をも説明できるものだった。

「日本人とは何か」という問題についての、これ以上ないほどの答えを出したのである。

では、岸田は日本人にどうすればよいと言ったのか。彼はとくに答えを用意しているようには見えないが、精神分析を知る者には明らかである。すなわち、自分たちの過去をしっかり見とどけること、幻想を排して自己の真実を見つめること、それのみが解決策だというものである。

これに対しては、「日本人の自己分裂？　だから何なの？」という疑念を持つ者もいる。岸田の言うように日本人の自己が分裂しているとしても、その二つが「どうして統合される必要があるのか」とひらき直ることもできるのだ。そのようなひらき直りは、岸田より少し後に出てきた浅田彰に見られる。

浅田彰の『逃走論』が出たのは一九八四年である。そこで彼はスキゾ・キッズなる言葉を連発し、自らの世代を分裂した自己をそのまま生きる世代と位置づけ、それの何が悪いと言い切っているのだ。岸田秀の『ものぐさ精神分析』が出たのは一九七七年だから、どうやらこのあたりで日本思想の流れが変わったように見える。

浅田の論は一八世紀フランスのヴォルテールを思い出させる。このひねくれ者の哲学者はこう言ったのだ。「汝自身を知れ？　冗談じゃない。汝自身なんてどこにある。自分なんてものは、手とか足とか胃袋とか、いくつでもあるじゃないか。たったひとつの自分、そんなものないさ」

だが、ヴォルテールはフランス人で、日本人ではない。フランスは統合された自己というものが前提される国である。そういう国において彼が放った「多数の自己」説はまさに鮮烈であり、革命的である。そのような苛烈さは、浅田にはない。

それもそのはず、浅田の日本は「腹が減る」「頭が痛い」「手が出る」といった身体の各部位がそれぞれの自己を主張する国なのである。そのような国で、分裂した自己が統合される必要などないと言うのは、ひらき直りというよりは自己満足、あるいは安易な自己肯定に過ぎないのだ。そのような安易さがバブルの時代と重なっていることは見逃せない。バブルとは泡であり、消えざるを得ないものだ。

知り合いのジャーナリストが岸田から浅田への変化を、文学史的に言い換えてこう言った。「三島由紀夫の自決で一つの時代が終わったんです。村上春樹は別の時代の始まりなんです」と。一方、バブルは終わったといっても、バブルの夢は終わっていない。

いまだに三島は遠ざけられ、村上は人気があるのだ。これでは救われないと見るのがいいのか。それとも、いやずっとこのままでいいと思うのか。あなたなら、岸田と浅田のどちらを選びます？

（参考文献）
岸田秀『ものぐさ精神分析』中公文庫、一九九六年
浅田彰『逃走論　スキゾ・キッズの冒険』ちくま文庫、一九八六年
ヴォルテール『哲学書簡　哲学辞典』中川信・高橋安光訳、中公クラシックス、二〇〇五年

第6章 ユクスキュルからチェーホフまで　現代世界の哲学Ⅱ

あなたは論争ぎらい？

江戸時代の学者として知られる本居宣長は、日本人は「言挙(ことあ)げしない」と言った。議論をするかわりに和歌を詠む民族だ、と言ったのである。しかし、そういう宣長自身は議論しつづけた。同じ国学者の上田秋成と「日の神」論争をしている。

日本人は議論が苦手であるにちがいない。議論好きのインド人を相手にするのは疲れる、とある商社マンから聞いたことがある。中近東に派遣するなら、口の達者な大阪人を派遣しろと方針を固めた総合商社もあったと聞く。日本人は言わなくても通じる相手を好み、言外のコミュニケーションを尊ぶ。

私自身、南米はアルゼンチンにいたとき、ある家に招かれてそこの奥さんの察しのよさに驚いたことがある。旦那がしゃべっている間に、奥さんが周囲の状況を把握し、客人である私の居心地をできるだけよくしようと心配りをしてくれたのである。

後でわかったが、その奥さんはロシアから移住したユダヤ人で、旦那の方はナポリ出身の移民の子であった。以来、ユダヤ人には他の西洋人にない直感力があるという「偏見」を抱くことになった。

だが、そうはいっても、議論はやはり必要である。論争も時には大事である。キリシタンの宣教師が日本に来た時も、仏教の僧侶が宣教師と大論争をしている。これらの論争は、どちらが勝ったかということより、それぞれが主張をぶつけたこと自体に意味がある。それを避けていれば、日本人は宣教師にとって都合のよい「温和な人々」ということで終わっていただろう。日本人が論争嫌いなどというのは、早計である。

感情的になれば話は別だが、そうでなければ論争には二つのメリットがある。互いの立場がはっきりすること、また場合によっては自らの立場を修正できることである。そこで思い出されるのが、明治の半ばに起こった二人の文学者の論争である。ドイツ留学から帰ったばかりの森鷗外と、英文学者として名を成していた坪内逍遙のあいだで争われた。

論争は、逍遙がシェイクスピアには理想がない、自然そのものであるところが素晴らしいと誉めたのに対し、鷗外が理想がなくて作品はつくれない、シェイクスピアが優れているのはその理想が見え見えでない点にある、と逍遙の立場を否定したことから勃発した。逍遙はあくまでも芸術は自然に近ければ近いほどよいという立場で、鷗外は自然界にも理想はあり、その理想を掘り出すのが芸術家の仕事だという立場に終始したのである。つまり、芸術とは何かという問題に関しての論争で、これによって論争者それぞれの自然観が浮き彫りにされた。

この論争の面白さはそれがバトルだからで、格闘技を見て面白いのと共通する。鷗外の西洋型論理に対する逍遙の伝統的ねばり腰。一見して鷗外が打ち負かしたように見えて、実はそうでもないところが面白い。

さて、このような論争が明治半ばに起こったのはいいが、それ以降はそれが消えてしまう。文学者にかぎらず、政治家どうしでも、学者のあいだでも、論争が消える。一体、明治の後半、何があったのか。

よく言われることだが、明治の歴史は大逆事件を機に大きく変わったという。この事件は幸徳秋水らの社会主義者が天皇暗殺を企てたとされる事件で、首謀者ら二六名は秘密裁判で大半が死刑判決を受け、そのうちの一二名が実際に処刑された。これを機に政府は強圧的監視機関となり、日本はファシズム化していったのである。

もう一つの転機は日露戦争である。この戦争で日本は勝利したことになっているが、国情は悪化の一途をたどり、軍部が政治に口を出す一方で、社会主義者への弾圧が強化されていった。明治維新期にあった言論の多様性がなくなっていくのである。

言論の多様性がなくなるとは、議論や論争が不活発になることである。明治後半から昭和の戦争期に至る日本は本質的に変わるところがなく、変わっていったものがあるとすれば、意見の多様性を認めない度合いが増したことぐらいである。戦時中は言論の自由がなかったというが、実は明治後半からない。日中戦争や太平洋戦争は、大逆事件以来の政治の総決算だったのである。

現在の日本はどうだろう。議論はなされているか？　論争は？

「しても始まらない」という風潮が蔓延しているのではないだろうか。演劇にしても、映画にしても、基本的にドラマ性がないというのも、論争の面白みを国民が知らずにいる内に、時が流れてしまったことを示していると思われる。

そんなことを考えていて思い出されるのは、子どものころのテレビの風刺寸劇である。

首相らしき人物が「自衛隊は我が国のホープじゃのう」と言うと、その秘書が「首相、お言葉ですが、ホープよりピースの方がおいしいのでは」というのがあった。昭和三〇年代のことである。これを思い出すにつけ、古の中国の義人にならって、「ああ徂かん、命の衰えたるかな！」と言いたくなる。

（参考文献）
臼井吉見『近代文学論争』筑摩叢書、一九七五年

ウニ・アナーキズム

ユクスキュルの『生物から見た世界』は不朽の名著である。今から九〇年ほど前に出されたものだが、最近になってその価値が増しているようだ。

内容は、イソギンチャクやイヌやハエがどのように世界を見ているか、どのような世界観を持っているかを述べたものだ。現在のようにハイテクの測定機器がなく、量子力学が生物学に応用されることもなかった時代に、よくぞあそこまで明らかにできたもの

だ。

彼の言ったことで印象に残っているのは、ウニの場合である。ウニは棘がたくさん生えているが、ユクスキュルによれば、その棘の一本一本がアンテナになっていて、外部世界の情報を取り込んでいるのだ。それらの情報はアンテナごとに異なったものであり、しかもこれらを束ねて一つにする情報センターがない。となると、ウニのもつ情報は世界の断片の寄せ集めで、少しもまとまりがないことになる。だがウニにとって、それで一向かまわないのだ。

そういうわけだから、ウニには統一的な世界観など土台無理である。しかし、それがなくてもウニは問題なく生存し続けている。このことが示すのは、生存するのにまとまった世界観を持つ必要などない、ということなのだ。

考えてもみれば、人間の三歳児はまとまった世界観など持っていない。身体の動きに応じて見えてくる世界は瞬間ごとに異なるのだが、それで少しも問題ない。それに、一つの世界観を確立すると、それに縛られて身動きが取れなくなる可能性もある。世界観が崩れれば自暴自棄に陥り、酒に溺れ、あるいは麻薬に手を出して魔界をさまようことになるのである。

ユクスキュルのウニに話を戻すと、世界のもろもろの断片で満足しているウニを、彼は「共和国」になぞらえている。共和国とは国王や皇帝がいない国家を意味するが、それに相当するものがウニには確かにない。

しかし、韓国の全斗煥元大統領を見ても分かるように、共和国であっても独裁者が出てくることはある。一方、ウニの「共和国」には独裁者どころか、指導者がいないのだから、共和国よりも無政府と言ったほうがよい。

ウニの例は政府がなくても生存できることを示す。では、国家はないのかというと、一匹のウニが個体であるからには、最低限の国家はあることになる。ただし、その国は完全民主制で、どの棘にも平等に発言権があり、棘どうしは直接の連携がないとはいえ、どこかで連携しているのであり、だからこそ全体を維持できるのである。

このように考えると、ウニほど賢い生きものはないように見えてくる。だが、タコのほうが賢いと生物学者はいう。一方の人間はどうか。なにしろ、たくさんの神経細胞を束ねた自慢の脳があり、それが絶えず統一的ヴィジョンを提供しようとしている。これはすごいことではないのか。

しかし、統一的ヴィジョンといっても、脳科学者たちは「脳には司令塔がない」とさかんに言う。つまり、人間の脳も共和国であり、無政府だということなのだ。このことが意味するのは、人間が自然状態に近ければ無政府的になるということである。果たして、本当にそうだろうか。

人類が究極の理想を求めると、必ずや無政府主義にたどり着くようだ。政府憎しという暴力的な無政府主義もあるが、トルストイやガンディーのような平和的無政府主義もある。彼らは心のどこかで、生物としての人類の根源にたどりつこうとしたのだろう。

人類の近代は国家という概念に振りまわされ、戦争を繰り返してきた。しかし、人類が生物としての意識に目覚めれば無政府を標榜し、国家という既成概念から逃れられるかもしれない。

以前アメリカのテレビドラマ『ホームランド』というのを見たことがあるが、ＣＩＡの隠れた悪事が次々に出てくる暴露物であるにもかかわらず、そこに登場するどの人物も国家への忠誠、国家の安全という思想を一瞬たりとも疑っていない。見ていて、不思議を通り越して腹が立った。彼らは明らかに洗脳されているのに、ドラマ制作者はそのことに気づいていないようだった。

マルクスがインターナショナルを唱え、フロイトが民族意識や国家意識を幻想だと見破ったにもかかわらず、依然として世界は国家単位で動いている。どうしても一九世紀的世界観から逃れられないのだ。

日本も江戸時代までは三都あり、商いは大阪、江戸には幕府、京には公家と分立していたのに、明治以降は東京にすべてを集中させている。これでは生き物としての本来から遠のくだけだ。少しはウニを見習おうではないか。

いきなり無政府とは言うまい。中央に司令塔を持たず、各地域の連携でなんとかならないものか。中央集権は案外もろいことを、私たちは自覚すべきなのだ。地方が中央に従うだけでは、全体がダメになる。

ウニのような無政府国は無理でも、タコのように脳を支える八本の腕が自律性をもって動けるようにならないものか。生き物の世界を知れば生命の本質がわかる。これが分かれば、人間どう生きればよいか見えてくるはずだ。

（参考文献）

ユクスキュル／クリサート『生物から見た世界』日高敏隆・羽田節子訳、岩波文庫、二〇〇五年

G・M・エーデルマン『脳から心へ　心の進化の生物学』金子隆芳訳、新曜社、一九九五年

マッカーサーの教育論？

何年ぶりかで、知り合いの会社社長と会った。彼がこんなことを言っていたのが印象に残った。

自分は教員免許を持っており、いつか学校教育に携わりたいと思っていたが、ついにその機会を得なかった。しかし、日本の教育行政には興味があり、戦後の教育行政に関する新聞記事を切り抜いて集めている。そこでわかったことが一つある。こと教育に関しては、日本はマッカーサーの言ったことを全く無視してきたと。

どういうことを言いたいのかと尋ねると、彼はこう言った。「マッカーサーによれば、教育は上からの押しつけではいけない。地域の文化に根ざしたものを、各地域が育てなければならない。個人の教育理念を実現しようとする私立学校が育つ環境を整えねばならない。要するに、開かれたものでなければならないのです」

この社長が私に伝えたかったのは、日本の教育がすべて文科省からの通達に依拠し、指導要領に添って行われねばならない現状への不満である。産業界が自主的に推し進めてきたモノづくりに対し人づくりはなんと画一的なのだろう、と怒りを禁じ得なかったのだ。

マッカーサーが教育について何を言ったか、私はよく知らない。というより、マッカーサーも当時の米国も小中高を一本線とする画一的教育システムを推奨したのではないかと疑う。しかしその前に、彼がどういう人間で、何を日本に対してしたのか、その背景にはどういう思想があったのか、そうしたことをもっと知っておくべきだ。こういう大事な人物を歴史で学ばないから、私たちはいまもなお混乱しつづけ、心の安定を保てないでいるのではないかと思ったのである。

マッカーサーが矛盾に満ちた人物であったことは、彼の原爆についてのコメントからもわかる。日本への原爆の投下には疑念を抱いていたかに見えて、朝鮮戦争での原爆投下を提案している。そのほか、天皇についての認識も、時と場所に応じてちがうことを言っている。この人物、相当の策士か、あるいは心理的屈折を病む人であったと見たくもなる。

しかしながら、天皇を失った日本国民が彼を現人神（あらひとがみ）のように崇めたことも事実である。神話を愛でるこの国では、不敗であるはずの神聖なる日本を打ち破った英雄は、神以外ではあり得ない。このような国民性も含め、私たちは戦争直後の日本で何が起こったのかをもっと知らねばならない。フロイトではないが、過去に照らして日本人の集団心理の分析をしなければならないのである。

このことで思い出すのが、淡路島にヤマト建国の記念碑を建てたいと申し出たフランスの資産家である。彼は熱弁を振るってこう言った。「日本が大好きで、古事記を翻訳で読み、これは世界でも貴重な国だと思ったのです。現代文明を身につけながら、古代人でいられるとは素晴らしいことです。コントが理想とした社会がここにあるのではないかと思いましたよ」コントとは、社会学の父と言われるオーギュスト・コントのことである。随分と大袈裟なものいいであった。

正直、この人の話は荒唐無稽だと思った。しかし、その彼が「私は戦後の日本人が精神分析をしていないことが気にかかる」と真剣に語ったとき、さすがにギクッとした。あわてて岸田秀の名を持ち出してみたが、彼にすれば、日本人が戦中・戦後の歴史から目を背けている実情は見え見えだったのだ。

教育行政の話に戻ると、ある地方都市で中学生が自殺した。原因は級友によるいじめだという。しかし、当該都市の教育委員会はまず文科省にお伺いを立て、それから公の前で謝罪した。そこには自主的判断というものがなく、ほとんど自動機械のような対応の仕方であった。

一方の文科省は現地の実情などあずかり知らない。杓子定規に事を治めることしか頭にない。これですべてスムーズに進むかといえば、当然ながらそうはならない。教育機関への不信がつのる一方で、生徒たちの精神は空洞化するばかりだ。

私立大学にしても文科省のご機嫌伺いに終始する現状だ。およそ「私立」の意味をなしていない。すべては金だから仕方ないというが、金を使わなければ教育ができないという考え方がそもそもおかしい。

こんなことを書いていると、「ずいぶんトンチンカンなことをおっしゃりますね」と横から声がする。「今の時代、ネット上をナビゲートするのがトレンドなんです。マッカーサーも、あなたも、古きよき時の人。そんな過去に耽っていてどうするんです。歴史なんて、所詮は言葉のアヤ。パソコンと付き合えば、パソコンがあなたに馴染むと同時に、あなたもパソコンの一部となるんです」

本当に、そうだろうか。過去はネットの中に消え去るのだろうか。ネットが人の手と頭で作られる限り、そうはならないように思うのだが、いかがなものか。

（参考文献）
沖田行司『日本近代教育の思想史研究　国際化の思想系譜』日本図書センター、一九九二年
岸田秀『ものぐさ精神分析』中公文庫、一九九六年

韓国人という他者

日本と韓国といっても、政治のことは置いておこう。日本人と韓国人の複雑な関係について論じてみたい。論争の種になってほしいと願う。

かつて、韓国のある大学教授が言った。「日本と韓国はほんとに合わせ鏡の関係ですね」

そう言われればそうだが、どうしてそんなことを言うのか。「日本を見ると韓国が見える。逆もまた真なり、なんですよ」

この関係はわかるようでわからない。お互いが相手を映すほどによく似ているということか。教授はいう、「合わせ鏡があれば、表も裏も見えますよ。韓国がポジなら日本

がネガ、その逆も真なんです。わかります？」

マッコリのせいか、その声には情熱がこもっていた。

その時から二〇年が経つ。その間、日本人と韓国人のことを考えてきたが、今ひとつわからない。東京生まれの在日の友人に聞いても、「僕は日本に飽き足らず韓国に行きましたが、そこでもなにか違うと思った。悩んだ挙句、自分はどこにも属さないんだと心に決めて、それで楽になりました」というだけだ。

在日といえば、アートネイチャーの元会長の姜琪東（カンキドン）の句集『身世打鈴（シンセタリョン）』を世に出した福岡は石風社の福元満治氏は、この本の帯にこう書いている。「日本人にとって在日は己の中の他者である。在日韓国人の俳人が最も日本的な表現様式で『生』の軌跡を鮮烈によむ。そのねじれの中に、その呻（うめ）きの中に人間が存在する」

名言である。帯にはもったいないほどだ。

「うちなる他者」だから、自己の一部にちがいないが、他者は他者だから、自己とは相容れない。ということは、自己の中に自己に対立する別の自己がいるということで、この自己と対面しなくては本当の自己にはなれないということになる。深い因縁ではないか。

日本における韓流ブームの根源には、この種の因縁があるのか。そうとは思えないというのも、韓流は東南アジアなど日本以外の国でも人気があるからだ。それに、韓流ドラマはいかに面白くてもあり得ない設定であることが多く、話の展開も、これまたあり得ない。つまり、物語が現実をそっちのけにして進むところに違和感を覚えるのであり、そういう違和感は韓国人にはないのかと問いたくなるのだ。

では、日本人には韓国人への親近感はないのかといえば、はっきり言って日本人は自分たち自身にも、韓国人にも親近感はないと言いたい。仮にあるとすれば、大リーグのヌートバー選手のような日本と縁のあるアメリカ人であって、そこには一種の憧れが含まれていなくてはならないのだ。

韓国人では自分と近すぎて魅力にならないということだ。しかも、自分とは異なる価値観と世界観を持っているとなると、むしろ敬遠したくなるのである。石風社の社主の言葉をもじれば、「内にあって、見たくない、知りたくもない他者」ということになろう。

一方、韓国人にとっての日本人はどうか。韓国人の意識において、おそらく日本なくして韓国は成り立たない。何ごとも「韓日」なのである。憎き日本、忌まわしき日本、羨ましき日本、頭にくる日本……。

日本人が韓国人の存在を半ば無意識に抹消しようとするのと同じ程度に、韓国人は日本人を必要以上に意識にのぼらせる。おそらく大半の韓国人は、日本人が韓国を知ることの何十倍も日本を知っているし、考えてもいる。これはアンバランス以外のものではない。したがって、両者の関係を築くには、互いが合わせ鏡だと認めるほかないのである。

今日の日本人が理解できないことのひとつに、韓国人の対日感情の豹変ぶりがある。昨日まで反日だったのに、今日は親日。まるで嘘のようだ。だが、心理学的に考えれば、これは豹変ではなく、韓国人の心のなかに葛藤があり、その葛藤が時には反日となり、また親日となると見ればよいと思われる。つまり、韓国人は日本人に対し愛憎半ばの複雑な感情を抱いているのだ。

日本人はこのことをもっと知るべきだ。彼らの「生」の軌跡は「ねじれ」ており、「その呻きの中に人間が存在する」のだから。この「人間」を日本人は看過したがる。見てしまうと、自らの「生」が重くなるからだ。そこが日本人の問題である。

日本人と韓国人が合わせ鏡なら、ふたつ合わせれば最強となるにちがいない。その時が来るとは思えないのは、もうひとつの「他者」、北朝鮮が存在するからだろう。

この三つ巴（どもえ）は複雑だ。だが、この三つ巴が韓国人の対日アンビヴァレンツを解き明かす。韓国人は北朝鮮という同胞と、日本人という兄弟との両方に引き裂かれているのである。

北に近づこうとすれば「日本憎し」となる。日本に近づこうとすれば、「北はお荷物」となる。在日は日本と韓国に引き裂かれ、あるいは日本と北朝鮮に引き裂かれていると言われるが、韓国人そのものが同じ亀裂をかかえているように見える。

以上から結論すると、韓国人が日本人を理解したければ、また日本人が韓国人を理解したければ、その中間の存在である在日の言葉にもっと耳を傾けるべきということになる。いかがであろう。


（参考文献）

姜琪東『身世打鈴』石風社、一九九七年

チェーホフの哲学

両界曼荼羅は宗教的な気持ちがなくても、審美眼を持たなくても、世界の多様性を表している点で見応えのあるものだ。多様性といっても、かなり整然としているので知的な感じがするが、それでも温かみがある。

もっとも、曼荼羅の図像はシンボル的で、模様に規則性があり、その分具体性に欠ける。その点では、法隆寺の五重塔に安置された釈迦涅槃像の迫力には及ばないという気もする。しかし、この二つを比べるのは、それぞれの目的がちがうのだから、あまり意味はない。

法隆寺の釈迦涅槃像は、釈迦の死を悲しむ弟子たちの表情が多種多様で、しかもきわめてリアルだ。奈良時代のものなのに、現代彫刻以上の迫力があるこのリアリズムはどこからきたのか。三子の魂百までというが、それぞれの顔をもち、それぞれの性格をもつこれらの彫像に感動せずにはいられない。

この多様性はＤＮＡのなせる業を映しているにちがいない。ＤＮＡとは遺伝情報を運ぶ核酸だと言われているが、化学的には限られた物質で構成されていながら、あまりにも複雑な組み合わせで、有限なのに無限を感じさせるのだ。この「有限であって無限を感じさせる」ことが生命の本質で、そこに私たちは惹かれるのである。

神経科学者のエデルマンは、人工知能と人間の脳を比較して次のように結論している。人間の脳はたくさんの脳神経細胞をものすごい速さで、ものすごく複雑なかたちで結び合せ、しかもそれを固定せず、瞬間ごとに変えていく。そういうことは人工知能にはできない。それに、人工知能は同じものを二つつくることができるが、人間の脳はそれができない。脳には遺伝的要素だけでなく、瞬時の刺激に対応することで変形するという可塑性があるからだと。

つまり、人工知能とはちがって、この世に同じ脳はひとつとしてない。個性とはまさにこのことであり、そこに人工知能との決定的な差がある。

個性といえば、一〇年ほど前、ある女子大生が「自分は個性的でありたい」と言っていた。この世に同じ人が二ついないのだから、誰もが個性的なのであって、没個性的な人などいないし、平凡な人もいないのに、そんなことを言うのである。

それを言わせるのは社会で、平凡であれば目立たず、それで静かに暮らせるという通念がある一方で、それに反発する人が「個性」を主張するのである。

エデルマンに話を戻せば、彼は人間の脳が病原菌に対して抗体をつくるメカニズムを発見したことで知られている。人体に病原菌が侵入すると、これに対して脳は抗体をたくさん作り出す命令を出すのだが、さまざまなタイプの病原菌に対処するためには、多種多様の抗体を一度につくり出す必要があるというのである。エデルマンはそういう驚くべき機能を脳に見出し、その創造性こそは生命力だと讃嘆したのである。

では、そういう生命の多様性を感じさせる哲学があるかというと、これが意外に見つからない。ベルクソンの『創造的進化』に若干それが見られるとはいえ、哲学は一般性を求めるために多様性を犠牲にするので、多様性の哲学は見つけにくいのである。『モナドロジー』を発表したライプニッツにしろ、世界は無数の単子からなっているといい、それぞれの単子に格別の個性が備わっているとは言っていない。哲学者は、そういう点でつまらない存在なのである。

多様性の素晴らしさはシェイクスピアやロペ・デ・ヴェガなどの悲喜劇に見つかる。また、一九世紀のロシア文学にも見つかる。ソ連の文芸理論家バフチンは、ドストエフスキー文学こそはこの多様性を表現したもので、彼はこれをポリフォニー（多声音楽）の文学と呼んだ。なるほど、ポリフォニーには多様性が含まれる。

しかし、ポリフォニーには一定の調和があるように思える。調和があるということは、声と声が響き合う土台があるということで、その土台がなくなったらどうなるか。私たちの生きる現代のように、共通の土台がない時代に、ポリフォニーは成り立つだろうか。

その点で秀逸なのは、同じロシアでもチェーホフの演劇である。チェーホフの演劇もポリフォニーなのだが、ただしそれは不協和音の音楽である。声と声を結び合わせる土台がなく、個々の声が虚空に消え去っていく。同じ時代社会を生きながら、それぞれの境遇と性格の違いから、登場人物たちは互いにそっぽを向いているのだ。それではニヒルな凍てつく世界しか描けないのではと思われるが、それでも温もりがあるから不思議だ。作者チェーホフは、自分が生み出した人々が孤独な世界を生きていることを知っているが、それでもそれぞれの人物を、温かさをもって見守っているのだ。

どうやら、究極の哲学がここに見つかるように思う。チェーホフは俗衣をまとった聖者だと小林秀雄は言ったが、聖者である必要はないだろう。彼は人間ひとりひとりの個性を信じ、それを愛したのである。

哲学は哲学書に見つかるとは限らない。時として、映画の中に、ドラマの中に、詩の中に、あるいは科学理論の中に、忽然と現れ出るものなのである。

（参考文献）

ジェラルド・M・エーデルマン『脳は空より広いか　「私」という現象を考える』冬樹純子ほか訳、草思社、二〇〇六年
アンリ・ベルクソン『創造的進化』合田正人・松井久訳、ちくま学芸文庫、二〇一〇年
ライプニッツ『モナドロジー　他二篇』谷川多佳子・岡部英男訳、岩波文庫、二〇一九年
ミハイル・バフチン『ドストエフスキーの詩学』望月哲男・鈴木淳一訳、ちくま学芸文庫、一九九五年
アントン・チェーホフ『桜の園』小野理子訳、岩波文庫、一九九八年
小林秀雄『小林秀雄対話集』講談社文芸文庫、二〇〇五年

あとがき

ＡＩを利用すれば煩瑣な作業から確実に解放される。だが、それにハマり、馴染み過ぎれば私たち生来の思考力は尽きる。そのような危機の時代にあって、「少しでも物事を考えたい。でも暇がない」というすべての人に本書を捧げる。一日に一〇分でいい。立ち止まって、読んでほしい。

本書の元はネット新聞の連載で、その企画を支えてくれたデータ・マックス会長の児玉直さんに謝意を表したい。また原稿をさっと読んで、「これを本にしよう」と決めてくれた新潮新書編集長の阿部正孝さん、その原稿を一冊にすべく実務を引き受けてくれた同編集部の大古場春菜さん、校閲部の内海富喜子さんにももちろん感謝である。そして、つねに私のバランサーでありつづけている妻のマリアにもここで謝意を表したい。

二〇二四年二月　九州は唐津にて

大嶋　仁

大嶋仁　1948年、鎌倉市生まれ。
比較文学者。東京大学大学院博士
課程修了。福岡大学名誉教授。
「からつ塾」運営委員。『科学と詩
の架橋』『生きた言語とは何か』
『石を巡り、石を考える』など。

Ⓢ新潮新書

1031

1日10分の哲学

著　者　大嶋仁

2024年2月20日　発行

発行者　佐藤隆信

発行所　株式会社 新潮社

〒162-8711　東京都新宿区矢来町71番地
編集部(03)3266-5430　読者係(03)3266-5111
https://www.shinchosha.co.jp
装幀　新潮社装幀室

印刷所　株式会社光邦

製本所　株式会社大進堂

ISBN978-4-10-611031-3　C0210

価格はカバーに表示してあります。